Elein's Diary
2001–2005

Elein Fleiss

Translated by Nakako Hayashi

ADACHI PRESS

エレンの日記

目次

イントロダクション

本書『エレンの日記』はエレン・フライスが二〇〇一年から二〇〇五年にかけて雑誌『流行通信』に連載していた「Elein's Diary」を一冊にまとめたものである。連載開始から約二〇年後に日記が書籍化されるに至った彼女の心境はあとがきで読んでいただくとして、ここでは連載時から翻訳を担当した私の目から、当時の文化状況やエレンという人物を紹介したい。

雑誌『Purple』にリアルタイムで触れてきた人にとってみれば、その創刊者であり編集長でもあったエレン・フライスは周知の人物であると思う。けれども、若い世代にとっては必ずしもそうではないかもしれない。いずれにしても、『Purple』が誕生した一九九〇年代初頭から日記が連載されていた二〇〇〇年代初頭の文化的背景に触れてみたい。

エレンとの出会い

資生堂『花椿』の編集部にいた私が初めてのパリコレ出張を命じられた一九九三年。「この人に会いに行きなさい」と上司に言われ、恐る恐る滞在先のホテルからエレン・フライスに電話をかけた。

拙い英語でビクビクしながらも私が出張中の残された日程をあげると、エレンは「ちょっと無理ね」と言った。「やっぱり……」と諦めそうになった矢先に、彼女はこう付け加えた。「でもあなたが次のパリコレに来るときに会いましょう」

そのようにして、エレンとの交流が始まった。会うたびに「次に来たときは、ファッションショーに一緒に行きましょう」などと、パリで一緒にできることを探してくれる彼女の打ち解けた雰囲気が嬉しかった。

別の記憶もある。まだまだ新米だった私はファッションショーのチケットなどほとんど手に入るはずもなく、持て余した時間を美術館やギャラリーで過ごしていた。美術館に行くと必ず、併設されているブックショップに立ち寄った。ポンピドゥ・センターのブックショップには若い女性の店員がいて話しかけやすく、目についた印象的な雑誌について訊いてみた。表紙は、黒い髪のボブの女性の後ろ姿。紫色の書体で『Purple Prose』と誌名が記されている。

「これはどんな雑誌?」「アートの情報とか。良い雑誌よ」。たったそれだけの情報量だったけれど、その創刊号の謎めいたイメージに興味を持った。実際に会ったエレンは若くて、黒髪で、ボブだった。けれども、表紙の写真に写っているのは彼女ではない、と実際に会ったときにエレンは教えてくれた。

九〇年代のユースカルチャーとパリ

当時のパリはユースカルチャーというものからほど遠い都市だった。若者文化といえば、パンク発祥の地で九〇年代初頭にはゲイカルチャーやクラブカルチャーが勃興していたロンドンや、ビースティ・ボーイズが発信するX-Largeをはじめスケートカルチャーと音楽がクロスオーバーする若者産業の拠点となっていたロサンゼルスが目立っていた。

東京はどうだったかというと、そうした海外の動向にアンテナを向けて、自ら文化を生み出すというよりは貪欲に、海外の都市から最新情報を蒐集していた。それらの文化情報をカタログ化する編集をしていた『Studio Voice』などのカルチャー誌が、ビジネス志向の強いニューヨークで激しく競い合う若手アートディレクターたちの間では逆に、格好の情報源かつ憧れの的になるという、不思議な現象が起こっていた。


老舗ブランドしかない街というパリのイメージを覆したのが、『Purple Prose』であり、このアート同人誌とでもいうべき小冊子を発行していたエレン・フライスとオリヴィエ・ザームだった。今振り返ってみると、それは一種の革命だったと言える。

エレンはオリヴィエと『Purple Prose』（のちに『Purple』と改名）を製作するうえで必ず年二、三回ニューヨークへ旅行に出かけていき、アートとその周りの世界の情報を仕入れ、人脈を広げていった。たとえばパリにいち早くスーザン・チャンチオロを紹介したのは彼らだったし、アーロン・ローズともエレンは一緒に展覧会をつくるなどして交流を深めていた。

そしてパリに帰ってくると、エレンは友人が経営する画廊のパソコンを営業時間外の夜だけ借りて、アートディレクターと共同で夜通しレイアウトを組んでいった。一九九二年に若いカップルが立ち上げたこの雑誌が、のちに数多くの人に影響を与えていくことになる。

『Purple』に関わったアーティストたち

『Purple』はアーティストにとっての実験場であり、登竜門でもあった。

初期にインターンをしていたサラ・アンデルマンは、一九九七年にセレクトショップ〈colette〉を開いた。二〇一七年の閉店まで二〇年間常に話題を振りまき続けたこの店は、命名とコンセプト立案にエレンとオリヴィエが関わった。開店から間もない時期には二人がプロデュースした展示も行われた。『Purple』の編集部には、創成期のMartin Margielaのイメージをつくり出すことに一役買った写真家のアンダース・エドストロームやマーク・ボスウィックも親しく出入りしていた。

エレンとオリヴィエは世界各国の写真家たちのイメージを採用し、老舗ファッション誌では見たことがないような生き生きとしたイメージを次々とファッション界にぶつけていった。その後アート界で着実に足跡を残すことになるヴォルフガング・ティルマンスもこの雑誌の創成期に寄稿していた。

当時取材でフランス人アーティストたちと話をすると、若い彼らがいかに信頼を置かれているかがよくわかった。信頼というものに、年齢や経験は関係ない。若くてもしっかりした仕事をしていれば、人はきちんと見てくれている。『Purple』の二人を見ていて、そういったことも私は学んだ。

エレンの来歴と初期『Purple』

エレンは一九六八年、パリ近郊の街ブローニュ＝ビヤンクールで生まれた。大学に行っていないので、キャリアのスタートがとても早く、一八歳から父親が経営していた左岸のアートギャラリーで働いた。

二一歳で企画をした現代アートの展示はとても新鮮な内容だったようで、それを機にエレンの名はパリ中のアーティストたちに知られることになった、と現地に住む上の世代のアーティスト数名から聞いた覚えがある。

私が強い衝撃を受けたのは、当時恋人同士だったエレンとオリヴィエがキュレーションに参画し、パリ市立近代美術館で開催された「L'Hiver de L'Amour」展（一九九四年）だった。ヴォルフガング・ティルマンスの写真が貼られ、マルタン・マルジェラの服が初めて美術館で展示され、ミュージックビデオが流されていたこの現代アート展は同館と、そののちに巡回したニューヨークのMoMA PS1で当時の歴代来場者数を塗り替えた。

現在刊行されている『Purple』に馴染みのある読者は驚くかもしれないが、初期『Purple』は文字が主体だった。また『Purple Prose』『Purple Sexe』『Purple Fashion』『Purple Fiction』といったように四種類の冊子を同時に刊行するなど、インディペンデント出版の実験をさまざまに試みた媒体でもあった。

アートとともにファッションを扱い、さまざまな写真家を起用しながら成長していき、九〇年代後半には広告業界やファッション業界が注目する情報発信源となっていった（そこに載っているイメージはイコール「イン・ファッション」とみなされていた）。巷の印刷物に「Purple風」の表現が溢れていたことは、この時代に雑誌・広告・ファッション・写真の分野に携わった人なら誰でも証言するところだろう。そのくらいのメディアに、瞬く間に成長していった。

『Purple』も九〇年代後半からビッグメゾンの広告が入るようになり、その結果として他のファッション誌と同じように、ブランドの意向を反映することに躍起にならざるをえない誌面づくりに向かっていった。

エレンの美学

『エレンの日記』では、彼女の商業主義に対する嫌悪や、次第に自分の媒体づくりに向かっていくことになる当時の心境が綴られている。

彼女の記した言葉は、連載開始から約二〇年の月日が経ち、紙媒体の雑誌というものが消えつつあり、ネットカルチャーが蔓延した今、かつてなく近しく響いてくる。

ほとんどの人が思っていても、口に出せないでいること。そうしたことに勇気をもって声を上げるエレンという人を、およそ三〇年間にわたる付き合いの中で、私は変わらず尊敬してきた。その指摘を彼女が書き残した言葉として受け止めると、その一つひとつが切実で、誇張ではなく、的を射ていることに改めて驚かずにはいられない。

たとえば、ファッション撮影の被写体に起用した著名な哲学者の撮影中の振る舞いに言及するくだりがある。似たような話はどこの媒体にもゴロゴロ転がっているはずだ。けれども、そうした裏話はごく稀にスキャンダルのように語られることがあったとしても、決して真剣に論じられることはない。ましてや人気と影響力があり、イメージを尊重する雑誌のつくり手が、名のある被写体と媒体のあいだに鳴り響く不協和音を明らかにするなんて。

そんな執筆の姿勢ひとつにも、うわべの出来事に翻弄されず真実を見極めようとするエレンの探究心と勇気をみることができる。

脚光を浴びていた九〇年代後半の『Purple』の誌面で、エレンは時々、自分が撮影した写真のストーリーを掲載していた。編集長が自分のつくる雑誌のなかで、写真家に撮影を依頼した写真と自分の撮影した写真を同列に扱うというのは珍しいことかもしれない。

エレンは視覚的な言語を直感的に理解してしまう稀有な才能の持ち主だった。写真家の名前を見なくても価値のある写真を発見することができたし、写真の配置によってストーリーを語る視覚的な編集にも秀でていた。

当時の『Purple』は、エレンと彼女に協力的なアートディレクターが編集とデザイン組みを同時に行なっていた。アートディレクターは時代によって何人か変わっていったけれど、必ずその誰かとエレンが一緒に作業するスタイルは一貫していた。

パリからの移住や育児によるブレイクを経て、エレンは現在、写真を素材にしたインスタレーションなど自分自身の表現活動を行なっている。二〇二〇年三月、東京都写真美術館で開催される「写真とファッション」展にも、エレンは一人の作家として参加している（参加作品は現代美術作家でありCosmic Wonder 主宰の前田征紀とのコラボレーション）。

『流行通信』での連載

エレンの仕事ぶりを見ていたら、視覚やイメージが彼女にとっての言葉であることは明らかだった。けれど、エレンという人が書く文章を読んでみたいと思った。

当時私は、一三年間仕事をしてきた『花椿』編集部を離れようとしていた。ここから先自分は何をしたいのだろう？　と思ったときに浮かんできたのが、エレンに写真と文章を送ってもらい、自分がそれを翻訳する、という仕事のイメージだった。

すでに約一〇年間付き合ってきて、彼女の思想や発信するメッセージに共感していたし、編集部を辞めると知ると「私の家に泊まって、そこからパリコレに行くのはどう？」と提案してくれていたほど、エレンとは交流を深めていた。

翻訳の問題など不安はあったけれど、著者がこれだけ親しい人物なら、自分にもできるのではないだろうか。その話を当時、時々私が書く仕事を依頼してもらっていた『流行通信』の編集部にもちかけた。

こうして『エレンの日記』が始まった。親しく付き合っているつもりであっても、喋るのとは違って文章となると自分がまだ見ぬエレンの側面が見えてくるのが面白くて、夢中になった。

ずっとエレンの『Purple』を見て刺激を受けてきた私が、会社を辞めるにあたって始めたもうひとつのことが、個人雑誌『here and there』だった。その題名は、このプロジェクトの前身とも言える『Paris Collection Individuals』に収めたエレンと私のフォトストーリーに、エレンがつけてくれた題名からとったものだ。

正統的な雑誌編集の仕方を叩き込まれた『花椿』の編集部では知りようがなかった、自由で前例のない編集を楽しんでいるエレンと彼女のつくる『Purple』を見ることはひとつの解放であり、自分も編集でもっといろんなことをやってみたい、と励まされる存在であった。

エレンが人生の転換期に書いていた日記が、今こうして一冊の本となり、リアルタイムで九〇年代の『Purple』を知る機会のなかった世代の読者にも届けられる。この本を手にした人たちに、彼女の言葉はどう届くのだろうかと思うと、楽しみでならない。

林央子

ミシェル・ビュテル（1940–2018）と村岡久美子（1936–2018）に

To Michel Butel (1940–2018) & Kumiko Muraoka (1936–2018)

1
南部の春

四月の終わり。サントロペからほど近い南仏の小さな街、イエールで一六回目のファッションフェスティバルが行なわれた。私はボーイフレンドのアルノー、友人のヤスミン・エスラミ（『Purple』で一緒に仕事をしているスタイリスト）と出かけてみた。

1 あなたのイメージする南仏は、もう存在しない！

リヴィエラ（コート・ダジュールの別名）は、その美と輝きを失った。サントロペ、カンヌ、ニース、アンティーブ。地名だけで人々に夢を見させたそれらの名前は、もうかつての意味をもたない。海沿いは建物で混みあい、どこへ行っても観光客がいっぱい。食事はまずく、水は汚染されている。私のお気に入りの小説、J・G・バラードの新作『スーパー・カンヌ』の舞台もコート・ダジュールだが、バラードはこの地を「新たなシリコン・バレー」＝人々が仕事と金に人生をささげる場所、と書いている。

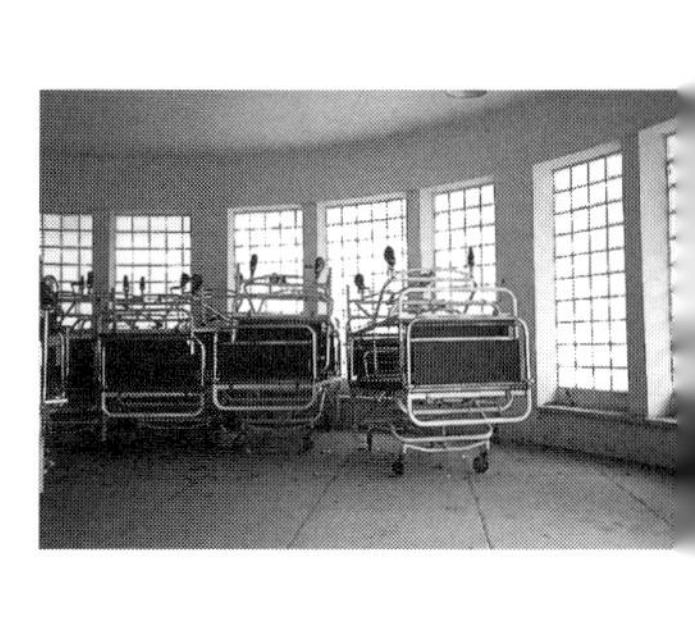

2　ジアン半島

それでも、私たちは見つけた。手つかずの南仏の街を。イエール自体もチャーミングだが、私たちが滞在したジアン半島は、とても美しかった。泊ったホテル〈ル・プロヴァンサル〉と周囲の風景、そのすべてが特別だった。二〇年代にF・スコット・フィッツジェラルドが書いた小説、『夜はやさし』に出てきそうなところ。丘から岩場の海岸まで松林が続き、海は青く透き通っている。

3　ル・プロヴァンサルの朝食

初日の朝、ホテルのテラスで朝食をとった。目の前にはすばらしい風景と海。空には柔らかく、南の地方でしか目にすることのない、クリスタルな光がさしている。こんな特別な場所に、パリのファッションウィークでおなじみの面々が揃って、朝食をとっているのは何か奇妙だった。誰もが普段よりリラックスし

ていて、楽しそうでフレンドリーだった。そこには、九〇年代はじめのアート・ワールドにみられたコミュニティーの雰囲気があった。そのすべてに、私の感覚はうっとりと、麻痺していった。

4　奇妙な病院建築

ホテルの近く、松林のまんなかに、とても大きな病院があった。建物は古く、二〇世紀初頭のもののようだった。両脇に渦巻状の大きなスロープがついている。まったくこんな建物は見たことがない……。とても気に入った。

5　スクーター

ボーイフレンドと私は、イエールで過ごす三日間のために、スクーターを借りた。スクーターは風景を味わい、雰囲気を感じとるのに最も良い手段だ。最初は彼の運転に怖気づいた私も、そのうちに慣れた。もし事故が起きても、松林のなかの病院に入ってあの建物を内側から見られるなら、それもいいかもしれない、と思った。

6　ファッションショー

その日はショーを見に行った。そう、私たちはイエールまで休日を過ごしにきたのではなく、「新しいホットな若いデザイナー」を発見するために来ているのだった。

ショーは悪くなかった。さまざまな国から、一〇組の新人が参加していた。パリから呼ばれたモデルたちのなかには、間違いなく何人か、明日にもスターになりそうな子がいた。不幸にもほとんどの服は、誰かの借り物みたいだった。Bernhard Willhelm風、Bless風、Sharon Wauchob風、Comme des Garçons風。そうはいっても、気になったデザイナーもいた。

大賞をとったアントワープ出身のChristian Wijnautsは、私には商業的すぎて退屈だった。ドイツ人の女の子、ステファニー・オバーグはシンプルなストリートウェアをやっていて、面白かった。彼女も賞をとった。もう一つのお気に入りは、ロシアからやってきた二人組のニナ・ナレティーナとドニス・ピュピスだった。メンズとレディースが一緒になったコレクションを発表し、その部門で賞をとった。民族風にならずに、ロシアらしさを表現していたのが良かった。しかし、私を最もびっくりさせた、クレイジーでオリジナリティたっぷりの二人組はチャールズ・A・モンタニョンとアン・アズランド。彼らは賞を逃したが、聞くところによればその理由は、審査員に傲慢すぎる態度をとったからだという。

7　パーティーとバス・ラップ

毎晩、パーティーが行なわれた。そのうちの一つは、パリで有名なファッションＤＪ、ザ・サンチェスが音楽をやって盛り上げた。パーティーのあとは、大きな専用バスにのってホテルまで辿りついた。私たちは、若いモデルのグループと一緒になった。一七歳くらいの彼女たちはバスのマイクを握り、ラップをして騒いだ。ちょっとした見ものだった。ひきつったような笑い声を上げる彼女たちを前に、私は自分の歳を感じた。

8　いつもながら

フォトグラファー、フォトグラファーのエージェント、雑誌編集者、ショップのバイヤー、スタイリスト、美術館のディレクター、ギャラリスト。そこにいた誰もが、人生のなかで一番重要なのは仕事である、ということを忘れていた。とりあえず私は、友達と日焼けしていた。

9　ファッション写真

イエールにはファッション写真の賞もある。しかし、新しい発見は何もなかった。もう百回も見たことのあるような写真だけだった。

10　イエールでなく

そして、パリに帰ってきた。『Purple』次号の仕事にかかるのだ。パリの空気は汚染されている。運よく私は一ヶ月後、別のプロジェクトのために、ブラジルへ向かう。次回はそこから書こうと思う。

2

リオ／シナリオ

リオの場面（シーン）

ブラジルには何度も行ったことがある。子どものころは、両親によく連れていかれた（私の父はブラジルで育った）。そのあとは、『Purple』のもう一人の創設者であるオリヴィエ・ザームと一緒にこの地に戻った。二年前だった。今回、私とオリヴィエはパリ左岸の画廊〈13 Quai Voltaire〉に、リオ・プロジェクトを提案した。ほんとうのところ、アイデアはそれほどはっきりしてはいなかった。その土地に、アーティストの友人たちと行きたいということ。そして、パリに私たちの記憶と経験を持ち帰りたいということ。それだけがはっきりしていた。この旅の道連れは、ビデオと写真で作品をつくるフランス人アーティスト、レティシア・ベナとオリヴィエ、そして作家で私のボーイフレンドのアルノー・ヴィヴィアン。私たちの使命は、九月にパリで行なう「シナリオ」という名の展覧会だ。このタイトルには二重の意味がある。「リオの場面（シーンズ・イン・リオ）」と、実際に本（シナリオ）をつくるということの。その地で私たちはブラジル人アーティスト、タチアナ・グリンベルグを展覧会に招待することに決めた。

ここから先は、私と一緒に旅行した仲間との経験をいくつか。

都市の記憶、レティシアとのリオ

レティシアと私は、感性がそっくりだ。二人とも、自分たちのまわりのものを眺めて時間を過ごす。こちらからあちらへ、視線が動くだけで、何か好きなものを見つけたのがわかる。そして相手を見れば、彼女も同じものを目で追っていたことを確認できる。いつもこんな感じだ。ここにあげたのは、私たち二人のお気に入りリスト。

ずらっと並んだ樹齢一〇〇年をこすパームツリー
波のような建物の表面
駐車場の窓からはみ出して顔をのぞかせる植物
大きな庭木
ピンクの建物と、ペールイエローの建物
バイロン卿、ラゴアの王女、マルセル・プルースト、

青い石（ペドラ・アズール）、日曜の朝（マタン・ドゥ・ディマンシュ）といった名を冠したビル
たくさんの美しい木々やサボテン
道で会う人なつっこい猫
コップやスプーン、厚紙などの何でもないものを使って音楽を奏でる人々
イパネマやコパカバーナの、白と黒の石が敷き詰められた広場
赤と黒――地元サッカーチームのチームカラー
幹の半分まで白く塗られている木々
ブラジリアン・モダニズムの先駆になった、ル・コルビュジエの美しい建築
自然と建築がどこでも一体になっているところ

ビーチの記憶、オリヴィエとのリオ

オリヴィエは泳ぎがとても上手く、できるかぎりビーチに行きたがった。一番きれいなビーチを捜そう、と私たちはやっきになった。リオの海は、もう昔ほどきれいではない。きれいな水を求めるなら、私たちはなるべく西へ向かわなければならなかった。東から西へ。ボタフォゴ、レーメ、コパカバーナ、イパネマ、レブロン、サン・コンハド、バーハ・ダ・チジュカ、レクレイオ、プライニャ、グルマリ。これらはすべてビーチの名前だが、リオの街がこの順番で東から西へ開発された、ということでもある。イパネマは今でも、多くの人が訪れるビーチだ。どのビーチも「ポスト」と呼ばれる区画に分けられ、それぞれのポストには番号がついており、区画ごとに人々が群れている。たとえば、ポスト８はゲイビーチで、ポスト９は若者とアーティストと知識人たち、とい

うように。しかし、今はリオに住む誰もがビーチに行くわけではないようだ。実際、私たちが向こうで会ったアーティストや作家たちは、ほとんどビーチに行っていない。彼らはビーチやボディカルチャーにあきあきしているのだ。世界中の誰もが知っているように、ブラジル人はとてもセクシーだ。美しい体をもち、そして外観にとらわれるあまり体に美容整形を施している人の数が最も多いという。

音の記憶、アルノーとのリオ

アルノーは数年間、音楽評論家をしていたことがある。最も興味があるのはロックだが、ブラジル音楽にも入れ込んでいる。私たちはたくさんＣＤを買った。私たちからのお勧めアルバムは、

ミルトン・ナシメント+ロー・ボルジェス『クルビ・ダ・エスキーナ』
ガル・コスタ『A Todo Vapor』
ヴィニシウス+ベターニア+トッキーニョ『ラ・フーサ（マー・デル・プラタ）』
スタン・ゲッツ+ジョアン・ジルベルト『ゲッツ／ジルベルト』
レニーニ『アンダー・プレッシャー』

私たちは、モンゲラというサンバ・スクールにも行った。ここのミュージシャンたちは六〇歳から八〇歳で、有名なサンバ曲をたくさん書いたことで知られる。男女とりまぜた一二人のミュージシャンが、さまざまな楽器を手に、テーブルのまわりに腰掛けていた。彼らは若手で非常に才能あるミュージシャンたち、たとえばレニー

ニなどを招いて、一緒に演奏をした。異なる二つの世代が一緒に歌い、演奏をし、ブラジルの伝統を世代から世代へと伝えていく様子を目にするのは、感動的だった。

音をめぐるもう一つの感動的な出来事は土曜日に起こった。ラランジェイラスの近辺で、その辺りに住むプロの音楽家たちが市場のあと、毎週集まってきて演奏をするのだ。場所はとても小さく可愛いらしい広場で、演奏されるのはほとんどがショーロの名曲。見物人が歌い出すこともしょっちゅうだ。その雰囲気は魔法のようで、ほとんど見たことのないようなピースフルなものだった。どこかで一人の中国人男性が、バッグから二本のスプーンを取り出し、それを使ってそれは見事な演奏をはじめた。そこにいたすべてのブラジル人が、呆然として息をのんだ。

3

私の四つのお気に入り

私の猫

猫を三匹かっている。オスの二匹は兄弟で、名前はジョニーとルル。大きくて茶色い。もう一匹はメスで、ブランシュ。小さくて白い。今こうして書いているあいだも、ジョニーが撫でてほしがって、私の隣にやってくる。猫に夢中になったのは、実際に彼らを手にしたそのときからだ。家にいる猫はみんな、友達からもらったもの。これまでは、小さな亀と金魚以外には動物と暮らしたことなどなかった。でも今や私は、うちの猫たちに夢中。みんなそれぞれが、自分というものをもっている。ルルはシャイで内省的だし、ジョニーは少し暴れん坊だけど優しい。ブランシュはリラックスしていて呑気。私は彼らのおかげで、家にいるととても落ち着く。彼らの存在が心地よいのだ。半年前、『Purple』のオフィスの窓から、仔猫が入ってきた。その日から、毎日来ている。すぐにもう一匹、そっくりなのが来るようになった。この仔猫姉妹は、隣の家族の猫だとあとからわかった。私たちは、猫のノミとりパウダーの成分名をとって勝手に、Carbyl（カービル）とCarabyl（カラビル）と命名した。

夏のパリ

夏になるとパリの街は気配を変える。音がなくて静かで、完璧な静寂の瞬間さえ訪れる。八月の空っぽになったパリは大好きだ。フランス人というのはほとんどがこの一ヶ月間、ヴァカンスをとってどこかへ行ってしまう。もともと私は、人が働かないときに仕事をするのが好き。たとえば日曜日とか。八月は、毎日が日曜日みたいな一ヶ月だ。街に出るといるのは観光客ばかりで、いろんな外国語が耳に入ってくる。暑いので、映画館に行って体を冷やす。

マルグリット・デュラス

そうしているうちに、マルグリット・デュラスの映画に出会った。デュラスは『愛人（ラマン）』などで知られるフランス人作家で、一九九六年に亡くなった。私はポンピドゥ・センターで上映されていた映画のなかで彼女の作品を観て、この小説家が偉大な映画作家

でもあったことを発見したのだ。ショックだった。題名は『破壊しに、と彼女は言う』。田舎の美しいホテルで、二人の男と二人の女が特別な関係を結ぶ。そうしているうちに、彼らはホテルの外の世界とは違った、完璧なもう一つの世界をつくりあげてしまう。すると、ホテルの外の世界のほうが、かえって狂っているように見えてくる。レティシアと私が映画館を出たときにはほんとうに、私たちのまわりにある現実のほうがまちがっていて、映画のホテルの世界にずっといたい気がした。この映画は、私の何かを変えた。そして、これが自分にとって、すごく重要な映画だということがわかったのだった。デュラスが映画もつくっていたことは知っていたが、こんなにすばらしいとは思っていなかった。実際、彼女はフランスの最も優れた映画作家のひとりだといえるだろう。マルグリット・デュラスの映画はとても実験的だ。物語を語る際の法則に、まったくとらわれなかった。自分の感性と、直感と知性に従ったのだ。彼女の映画を観る機会はあまりないので、この夏、『Purple』のオフィス近くの映画館で

デュラスの特集上映があるのを知って、とても興奮した。彼女の映画を一〇本観た。一番最近は、先週観た『トラック』。デュラス映画の発見は、このところ私の人生のなかで起こった、最も刺激的な経験の一つだった。今は彼女の小説全部と、新聞への寄稿文をまとめたエッセイ集『アウトサイド』を読んでいる。彼女はジャーナリストとしてもすぐれた才能をもっていた。

ブラックベリー

この二年間、『Purple』の印刷はナントの郊外にある工業地帯、サン＝テルブランで行なっている。印刷所に行くときは、あまりにそこが退屈でふさぎこむような場所なので、誰かと一緒に行くようにしている。今回はレティシアと行った。道路と工場があるだけで、人の姿が見えない。ちょっとアメリカみたいな感じだ。お店もなく、教会もない（別に、こういうものが好きなわけじゃないけれど）。庭もなく、バイクも走ってないし、とにかく生活というものの影がない。しかし、巨大なショッピングモールはある。私たちはそこへ、わざわざカメラとテープレコーダーをもちこんだ。そこで働く人たちに取材をしようと思ったのだ。郊外で工業生産が行なわれ、そして中心部に美術館やモールが現れていく、という街の進化過程に興味をもったからだ。そこに住む人々は、どう思っているのか。この思いつきにとても興奮し

て、モールに着いてインタビューをはじめようとしたら、誰もが「ノー」と言う。しばらくしてから、彼らはおびえているのだとわかった。どうも、仕事について話してはいけないことになっているようなのだ。私たちはがっかりして、すぐにあきらめた。そしてこの工業地帯を散歩しはじめた。道路には、私たち二人しかいなかった。

しばらくして、私たちは一台のトラックを発見した。女の人が二人で、サンドイッチとフレンチフライと飲み物を売っている。それだけで、そこがすごく人間的な場所に見えた。四〇代の彼女たちはしかも、とても美しかった。トラックの側に置かれた小さなテーブルに座ると、何をしているの？ と私たちに話しかけてきて、彼女の人生がどんなふうだったのか、六年前から妹とこの店をはじめることになったいきさつなどを話しはじめた。すぐに私たちは、インタビューの相手を彼女にすることにして、午後にまた会う約束をした。そのあと、あたりを散歩していたら、ブラックベリーを見つけた。すぐに摘んで食べた。そうしたら、ものすごくたくさん摘んでみたくなり、パリに持ち帰ってケーキをつくろう、ということになった。いろんな計画が突然生まれてしまって急に忙しくなり、しまいにはその場を去ることが悔やまれた。

最初ここに着いたときには何もなかった。ただからっぽで退屈な街だった。なのに捜してみたら、いろんなものが現れた。いつもこんな感じだから私は、退屈するということがない。もう最悪、と思えるところですら、何かを見つけられる。そして、無から何かを見つけることほど、大きな喜びはない。

4

こんなにも違う

旅をすると、いつも自分のなかで何かと何かを較べていて、それが面白いと思う。九月に東京に行ったときは、こんなことに気がついた。

身体

日本では、距離感と官能性が奇妙に混ざりあっている。大抵は体と体のあいだに、常に距離がある。それを物足りなく感じることもあるけれど、同時に日本人が身体ととても親密に関わりあうときもある。ここでは、マッサージがとても重視されているばかりか、ほとんどの人がそのやり方を心得ているようなのだ。たくさんの日本の友人が、私にマッサージをしてくれた。フランスではよっぽど親しい間柄でないかぎり、こういう接触はおこらない。

私はまた、お辞儀で挨拶をするのも好きだ。西洋人の多くは、お辞儀を恥ずかしがったり馬鹿げていると思ったりしがちだけれど、私は好き。ほとんど、お辞儀という行為を楽しんでいるともいえる。でも、この行為が意

味するほんとうのところはわかっていない。わかったのは私がお辞儀を続けると、相手の人もお辞儀をやめずに続けているということ。だから私はどこかでやめないといけない。フランスの挨拶は、頬にキス。でも、これはあまりいい接触とはいえない。相手が誰かによるではないか。なかには、両頬に二回ずつキスをする慣習のある地域さえある。私はさすがにこれはできない。

ルール

日本はフランスより、ルールが多い。それらは礼儀正しさと関係している。外国人として日本にいると、私はそのことに気がついて、ちょっとだけ真似しようとする。外国人だから、全部ちゃんとできなくても許される。それで失礼な人間と思われることはないから、こうしたルールに抑圧を感じることもない。フランスにいるアメリカ人からは、フランスにはルールが多すぎるという不満を聞く。彼らは、フランスの社交のルールに適応するのに難しさを感じているようだ。

男たち

私は日本の男性に、嫌がらせをされたことがない。フランスでよくある女性蔑視は、日本ではあまりない気がする。少なくとも、外国から来た女性に対しては。フランス人男性はよく街で、女たちにわいせつな言葉や侮辱ともいえる言葉を投げかける。突然話しかけてきて、「一緒に飲もう」と誘う。私はこの種のことが嫌いだ。だまって受け流せることもあるけれど、怖いと思うときもある。たまに、すごく攻撃的な反応に出ることもある。パリに来る若い観光客たちは、そんな男たちともわりと気安く話し合っているようだ。もしかしたら、一緒に飲みに行くのかもしれない。そんな光景を目にするたびに、私は心配になるし、悲しくなる。

装い

私がとても好きなのは、ほとんどの日本女性たちが下品な格好をしないこと。ヨーロッパの、とくに南部にいくと、太って醜い女性がぴっちりしたミニスカートをはいて、気持ちの悪い脚を見せていることがよくある。私はそういう女たちが嫌い。恥ずかしいと思う。日本において誘惑は間接的だが、ここでは見世物なのだ。女たちがそういう格好をするのは男を喜ばせるためで、つまりはヨーロッパの男は趣味が悪いといえる。日本にいて、胸やお尻を強調したファッションというものを見ることは少ない。とはいっても、ちょっと前に東京で大流行していた、ハワイアン風のファッションには辟易した。もう今では終わっていると思うけれど。

食べ物

昔、日本人観光客の一団がヨーロッパの電車のなかで、自分たちで賄った日本食を食べているのを目にして、不思議に思った。「せっかく来ているのに、私たちの食べ物を食べたくないの？　ぜんぜん適応できないのかしら？」と。でも今なら、気持ちがわかる。観光客としてフランスにきて、ここで出るまずい食べ物を食べることは、さぞかし苦痛と犠牲を伴うにちがいないからだ。私たちが東京にいたあいだ、口にした食べ物のなんとおいしかったことか。日本人は幸せだ。そして日本でご飯を食べたあと、パリに帰って、どんなに悲しかったことか。私はろくに食事もできなくなった。フランスの料理は、昔はたしかに良かった。おそらく、六〇年代以前までは。そして、それ以降、今日までずっと悪くなる一方だ。すばらしいフランス料理のレストランは、たしかにまだ存在してはいるが、そうした料理も、一部の金持ちしか食べることがない。ほとんどの人たちは、最もおいし

いフランス料理を食べる機会がない。しかし東京では、どこに行っても大丈夫。おそらく世界中でも最も安価で、最もおいしいものが食べられる。フランス料理が世界的に、高く評価されているのは恥ずべきことだ。それはまったくの嘘だから。

イメージと感性

パリをのぞけば、あらゆる都市のなかでも私の友人は、東京に最もたくさんいる。日本の人たちと私は気が合うと思う。感性に親近感を覚えるのだ。私はすべてのものに美意識を求めているし、それらに敏感であり、常に美を捜している。この点において、日本人と私は、共有する感覚があるのではないかと思っている。また、私は

写真などのイメージが伝えるものを、イメージからエモーションを読み解くのが得意だ。分析する必要はない。見るだけで理解するのだ。その点も日本の人たちに近い気がする。多くのフランス人は頭のなかの理屈ばかりで、目でものを見ない。感性やエモーションを視覚で理解できる人が少ないのだ。

神秘的なやりとり

日本人の友達の良いところは、少ない言葉で意思の

疎通ができることだ。視線と視線で、あるいはちょっとした身振りで、もしかしたら脳から脳へと直接伝わるコミュニケーション。最近最も面白かった経験は、『Purple』のアートディレクター、マコトとの仕事だ。彼がパリにやってきて、私と雑誌のデザインの仕事をするとき、言葉でほとんど話していないのに、お互いをほぼ完璧に理解しあうことができる。私のパートナーのオリヴィエはこうした直感をもっていないので、私たち二人がほとんど話さず仕事をしているのを見て、びっくりする。彼にはとても理解できないのだ。私がフランス人を耐えられないと思うのは、常に話しつづけていること。ほんとうは何も言うことがないときでさえ、何かを言おうとする。これが私にはできない。私は会話のあいだの沈黙が好きだ。そして、スカンジナビアの友人たちを好きなのも、同じ理由による。彼らも何もない空間を言葉で埋める必要を感じない人たちだから。

5

フレンチ・ラブ・ストーリー

私はリュクサンブール公園に面した〈Café Le Rostand〉に座っている。今日はたくさん人が出ている。小春日和で、祭日（死者の日）なのだ。隣のテーブルには、五〇代のカップル。口にキスをしあい、目で見つめあい、お互いの耳に話しかけている。そして、再びキス。彼らが恋愛中なのは明らかだ。カフェがどんなに混んでいようと、二人きりと感じているのだ。彼らの年代の人々が、こんなふうに人目を気にせず恋を謳歌している風景は、フランス以外ではありえないかもしれない。ここでは誰もがキスをしたりして、自分たちの恋愛を、二人の親密な関係の大部分を、人前で表現する。恋といえばフランス、というのは紋切り型の表現だが、それはでも、真実なのだ。だから今回は、私の身近で起こっている、三つの恋物語について書こうと思う。

ミッシェルとリラ

ミッシェルは六〇歳の作家だ。しかし六〇歳の男性と聞いて人が想像するどんなイメージとも違うだろう。日常生活にとらわれない、自由な物書きの男を想像してほしい。三人の子どもがいるミッシェルは、一つの恋からまた別の恋へ、というふうに人生をずっと生きてきた。どの恋も続いたのは五年ほどで、もとの恋人のほとんどは、今でも友達だ。彼は誘惑者ではなく、一夜の恋にも興味がない。ただ愛にしたがって、感情にしたがって、生きているのだ。

リラは三三歳で、写真家。彼女の恋愛生活もミッシェルと似ている。かつての恋人の多くは彼女のよき友になっている。彼女は恋を求めて生きている。二ヶ月前に別れたボーイフレンドは、ミッシェルよりずいぶん若いが、やはり作家だった。彼女はずっとミッシェルの作品を尊敬していて、つきあいはじめる一年半ほど前にも唐突に彼に電話をして、彼の文章について語りあったことがあった。それでも、当時は二人とも別々の恋愛関係が進行中だったため、つきあうには至らなかった。

二人がつきあいはじめてからというもの、ミッシェルはある執筆にとりかかり、それに強烈に集中しだしたため、リラにはなかなか会えない。深く愛しあってはいるものの、この関係からは、普通のブルジョアの人々がする恋愛のような安心感や快適さ、ファンタジーや何かを一緒にする喜びを求めることはできない。その代わりに、知的な刺激は受けるけれど。彼女はそのことを知っている。そういう彼らは結局、電話で話しあい、携帯の画面上でメールをやりとりするのだ。

ベンジャミン、カリーンとクリスティーン

ベンジャミンは三七歳で、ファッション誌の仕事をしている。彼はフランス版ドン・ファンといったところだろうか。カリーンとクリスティーンはどちらも三五歳で、スタイリストだ。カリーンとベンジャミンは三年間つきあっている。カリーンは彼を愛している。けれどもベンジャミンの心にはまだ、クリスティーンがいる。彼と

クリスティーンは五年間、くっついたり離れたりを繰り返している。でも別れたのは、五〇回くらい。ここにあるのはとても情熱的な、しかし破壊的な関係だ。クリスティーンはヨーロッパ女性のヒステリーの標本のような、難しい人間だ。けれどもベンジャミンは、彼女を忘れられない。彼は物静かで優しいカリーンのことをとても好きなのだが、クリスティーンに対して抱くような情熱は欠いている。そして、ベンジャミンはほかの女性とも関係をもっている。彼が外国へ、あるいはフランス国内であっても、旅をするときは、こういう一夜かぎりの恋がすぐさま友情に変わる。彼が生まれたのは典型的なヒッピーの家族で、愛とセックスは友情に結びつくもので、タブーはないとされてきたのだ。両親は性革命のユートピアを代表するような存在で、それぞれ外に恋人をもっていたが、それはとてもオープンなものだった。現在の彼をとりまく三角関係は、ベンジャミンを悩ませている。彼は家庭の教育から学んだことに従って生きているのだが、それを楽観視できた時期はとっくに終わり、今はただ、「フ

リー・ラブ」が生み出す痛みに苦しんでいる。

チャーリーとリサ

チャーリーは三九歳の写真家で、リサは三五歳のジャーナリストだ。彼らはつきあってもう一〇年になる。子どもはいないし、結婚もしていない。チャーリーは最初から、いつも浮気をしていた。リサはそのことに気がついているばかりではない。チャーリーはそれらの関係の詳細を、彼女にすべて話すのだ。リサ自身は、そういうことをする気がない。チャーリー一人に満足している。ほとんどの場合、大事には至らないが、時々危機が起こる。そんなときは、耐えかねたリサが家を出てしまう。たいていその時点で、チャーリーの浮気も終わりを迎える。こういう関係もフランスでは珍しくない。フランスを代表するカップル、作家であり哲学者のジャン＝ポール・サルトルとシモーヌ・ド・ボーヴォワールの二人がそうだった。彼らは人生の伴侶であったが、子どもはつくらず、サルトルは数え切れないほど恋人をもち、ボーヴォワールには長年つきあったボーイフレンドがいた。サルトルは、ほかの女性との関係をこと細かに綴った長い手紙を、彼女に書き送った。

これらの話はみんなほんとうで、私の友人たちの開かれた精神的環境のなかで起こったことだ。似たようなことは、フランスのブルジョア階級のあいだでも起こりがちだが、違いはブルジョアたちの恋物語は、嘘と偽善で固められていることだ。彼らの高度に技巧的な偽善や嘘は、作家や映画監督らのインスピレーションになってきた。クロード・シャブロルは、こうしたブルジョア環境を描くのに長けた、私のお気に入りの映画監督だ。

私は個人的に、愛は人生で最も重要なものだと思っているが、永遠に続くものではないとも思っている。人々が長年一緒にいるように要請するのは社会であって、愛ではない。私自身は恋愛をドラマだとは思わない。新しい物語を体験すること、そして何人かの人間を深く知ることだと思っている。だから、別れた恋人と良い関係をもち続けることも可能なのだ。

6

ファッション撮影

三日前、写真家のレティシア・ベナと三人の男性をつれてル・アーヴルへ、『Purple』の撮影に行った。Martin MargielaとVan Cleef & Arpelsのファッションページを撮るのだ。

ル・アーヴル

私はこの街が大好き。ノルマンディー地方にある工業的な港町で、イギリスに向かうフェリーが出るところ。とりたてて可愛らしい街とか、絵になる街というわけではない。スターリン様式の建物がたくさん並ぶ、あくまで工業的な町だ。ここには、港の様子を対岸から眺めることができる砂浜がある。ブラジリアを街ごと設計した著名なブラジル人建築家、オスカー・ニーマイヤーが建てたシネマ&アートセンターがある。そしてこの街の全体が、第二次大戦による壊滅のあと、建築家オーギュスト・ペレによって再建されたものなのだ。コンクリートをはじめて優美な素材として使ったことで知られるペレは、コンクリートと色つきガラスだけを素材にした聖ジョセフ教会をここに建てている。この建物に一歩入るなり、私は圧倒された。日差しがガラスに差し込むと、

教会のあちこちに、さまざまな色の反射がうまれる。とても神秘的だ。ほとんど宗教色がないのも、この教会を気に入った理由の一つ。極めてミニマルなのだ。ほかにも彼が建てたビルでは、建物の左側から右側にいくにつれ、ライトイエローからダークオレンジへと色を変えるブラインドをかけたものがあり、とても気に入った。

ファッション写真

今回のMartin MargielaとVan Cleef & Arpelsのように、まったく異なる世界のブランドを、一つのファッションストーリーにミックスするのが好きだ。一般的に言って、メンズファッションは苦手。ごく普通の格好をしているか、古着を着ている男性のほうが、私自身も好きだからだ。男性のためのデザイナー服は、わずかな例外をのぞけば、ほとんどがバカバカしく見える。マルジェラは退屈に陥ることなく、シンプルで魅力的なメンズファッションを打ち出すことに成功している。

モデルたち

プロの男性モデルというものも、気に入らない。信じがたいほど愚かに見えるのだ。だから、私たちはいつも興味深いルックスと生き方の男性を捜している。今回、まず選んだのは二人だった。最初に、『Purple』のウェブサイト（purple.fr）を手がけたニコラス・チャイキン。彼は物書きであり、ミュージシャンでもある。物静かで優しい人物だが、暗い面ももっている。二人目はジョナサン。イギリス貴族の末裔で、かつてはジャンキーだった。この取り合わせがいかにもデカダン。少しデヴィッド・ボウイの若いころに似ている、辛辣な皮肉屋。

撮影の一週間前、若手の哲学者メディ・ベラ・カセムと一緒に飲んでいた。彼にル・アーヴルの撮影に来ない？　そしてモデルもどう？　と誘ってみた。彼はその思いつきを気に入った。レティシアと私は、とてもいい考えだと思って喜んだ。メディは二八歳で、本を七冊出している。小説が四冊、エッセイが三冊。最新の著作は愛についてのものだった。チュニジア人とフランス人のハーフである彼はかつて、ポスト・ヌーヴェルヴァーグのフランス人監督フィリップ・ガレルの最新作にも、役者として出演している。多くの人が彼のことを天才だと認めている。彼の哲学書はドゥールズ、ガタリ、ボードリヤール以降のフランス哲学の復興と見なされている。彼に最初に会ったときは圧倒された私も、しばらくするとよく映画について語りあうようになった。彼はリンチとクローネンバーグのファンで、それぞれについて見事なエッセイを書いている。メディがファッション撮影に登場するのははじめてだ。ニコラスは『Purple』に二回登場しているし、ジョナサンは友達の写真家のために、イギリスの雑誌に出たことがある。

何が起こったか？

ニコラスとジョナサンが私たちを迎えに『Purple』の編集部に着いたときにはすでに、約束より二時間遅れていた。おかげでみんな少しナーヴァスになっていた。三人の男性はここで着替えて行かなければならなかった。レティシアが旅行中のどんな瞬間にも、気がむいたときに撮影ができるように。そして出発したとたん、私たちは渋滞にまきこまれた。高速道路のレストランで、やっと一息ついた。私は高速道路にあるレストランが好きだ。食事はまずいが、どこでもない場所、どこかとどこかのあいだにあるということ、そのかもし出す雰囲気が気に入っている。ここはトラック運転手たちでいっぱいだった。それも楽しかった。

ル・アーヴルに着いたのは夜の一〇時ごろ。いわゆるフランス料理のレストランに行ってオイスターを食べ、白ワインとノルマンディー産の林檎からできたブランデー、カルヴァドスを飲んだ。そのあとは、ネオンの輝く地元のバーへ。そこで、私たちには理由がわからないまま、メディが突然、もう写真を撮られたくないと言いだしたのだった。少し酔いが回ってご機嫌になったレティシアと私は、いつものように、上着を取り替えたりしていた。これが彼には悪い兆候だったのだ。私たちが黒い大きな犬とじゃれついていると、彼は言った。「つまり、これが『Purple』ってことなんだな。よくわかった」。私たちには、わからない。突然、私たちはリンチの映画のなかにいた。ありきたりのジェスチャーが、何か謎めいた行動を誘う兆候になる。はじめ私は、メディという人に失望したが、そのあとで、この種の人をこういう場につれてきて、その人のもつイメージを利用しようとすると、こうしたことが起こるのだと理解した。彼らのなかにも、雑誌に出たいという欲望がある。しかし同時に、私たち

は彼らのイメージを、洋服を着せることによって利用しているのだ。これはデリケートな問題だといつも思っている。私たちのもう一つの間違いは、メディに充分な注意を払わなかったことにある。彼はとても大きなエゴの持ち主で、ほかの二人の男たちと同じように扱われたくはなかった。スターでいたかったのだ。夜になると私たちは浜辺に行った。外はとても寒かったが、闇のなか、波の音はとても美しかった。

翌日は禁じられていたにもかかわらず、波止場をドライブした。この光景は魔法のようだった。世界中のいろんな場所から集まってきたコンテナのさまざまな色が、グレーの空と光のなかで、とても美しく見えた。私たちはスーパー8で映画も撮った。レティシアがカメラを持ってきていたので、私と彼女の二人で、三分ずつ撮影をした。教会と建物、そして浜辺と防波堤。

パリにもどってから数日後、メディは、彼と彼のかつての恋人を写真に撮ってくれないか、と私たちに頼んできた。このもと彼女も、ガレルの映画に女優として出演している。早速撮影にかかった。こんどの撮影には、メディもご満悦だった。彼が状況の中心にいたからだ。そして私たちも、仕上がりにとても満足している。この二つのファッション写真は、今後の『Purple』二号分に続けて登場する。

7

ちょっと変わったクリスマス

フランスではほとんどの人が、一二月二四日の夜を家族と過ごす。私はそれをしない人間の一人だが、知り合いのなかでも少数派だ。私の親は伝統嫌いで、この時期になるといつもパリを出てしまう。両親とクリスマスを過ごしたのは、一六歳が最後だった気がする。去年と一昨年は、家族や友人と離れてパリに住んでいる仲間たち、つまり私のようなはみだし者を招いて、クリスマスディナーをした。それは楽しいディナーだったけれど、今回は同じことをする気にならなかった。マコトと『Purple』のレイアウトにかかっている最中だったので、大がかりなディナーを準備する暇がなかったのだ。

だから二三日まで、私はてっきりクリスマスを一人、家で過ごすものだと思っていた。しかしその日、ニック・トーシュが電話をかけてきた。ニューヨークにいる私の友人が、彼が今パリにいることと、その滞在先を知らせてくれたので、私は彼のホテルに伝言を残しておいたのだ。ニック・トーシュは作家で、ニューヨークでは最もよく知られるロック評論家の一人だ。ロックについての本と小説を数冊、そして私の大のお気に入りである、阿片についての本を一冊書いている（『ある阿片追求者の告白』）。この文章は最初、アメリカの『ヴァニティ・

フェア』誌に登場し、そのあと本になって、数ヶ国語に翻訳された。内容はかなりきわどいといえるだろう。彼は阿片を「純粋で良質なドラッグ」として語っており、それを「質の高いもの、良い食べ物、良いワイン、そういったものに囲まれた良い生活の象徴」として位置づけているのだ。対照的に、ヘロインは私たちの生活における「質の低さや、上質なものの欠如の象徴」として扱われている。クラックときたら、「最悪の存在」だ。彼はアメリカで、ヨーロッパで、そしてアジアの多くの国で、阿片を捜しまわった。ついに、ラオスで見つけることができた。ヘロインとは裏腹に、阿片は儲からない。だから阿片は消滅しつつあるのだ。金だけが究極の目的である世界では、多くの貴重なものが失われていく。個人的に私はドラッグのことを考えたりしない人間であり、それを浪費することもない。けれど「良い食べ物、良いワイン、良いチーズ、そして良い本、良い映画、良い雑誌、さらには良い人間」については、いつも考えている。

だからニックが二四日、ホテルでの朝食に招待してくれたとき、迷わず私は出かけていった。そしてすぐさま、この魅力ある年長の男性にひかれた。私たちはさまざまなことがらについて、気楽に話し合った。二時間があっという間に過ぎた。『Purple』にコラムを書いてくれないかと頼んでみたところ、驚いたことにイエスと言ってくれて嬉しかった。「原稿料はあまり払えないのだけれど」と言うと、「構わない」と言う。彼が金銭に執着していないこと、寛大な人間であることはそれまでの会話からわかっていたので、信じることにした。標準的なアメリカ人の寛大さについていえば、それは存在しないに等しい。つまり彼が特別なのだ。ニックは私に、作家のサミュエル・ベケットがパリのどこに埋葬されているのか、と聞いてきた。私は知らないけれど、調べてみましょう、と言った。その午後、事務所のインターネットで検索したら、ベケットはモンパルナスの墓地に埋められていることがわかった。ニックにファックスを送った。すると彼は電話をかけてきた。クリスマスに私が、特に

なにも予定していないことを知っていて、ホテルで一緒に飲まないか、と誘ってきたのだ。さしあたって私は、この晩を一人で過ごすはめになった二人の女友達、レティシアとヤスミンと一緒に〈Café de Flore〉で夕食をとっていた。その場の雰囲気は、とても奇妙だった。ほんの一握りの観光客と、私たちみたいな二人連れの女性。そのうちの一人は、『Purple』で撮影した女優だった。ディナーのあと、私はニックのホテルまで歩いていった。舗道はとても静かで、パリの地上からすべての人間が消えてしまったかのようだった。ホテルでシャンパンを飲みながら、私と彼は「世界は最悪な方向に向かっている、もう希望はない、未来が良くなることはないだろう」という話をした。とてもニヒリスティックな、クリスマスイヴの会話。そうこうするうちニックは、翌日に計画していた墓地への散歩を一緒にどうか、と誘ってくれた。さらに、私に写真を撮ってくれ、と頼んだ。私は喜んで同意した。

クリスマスの日は最悪の天気。空は低くグレーにたちこめて、墓地に行くにはこれ以上ないほどの完璧な天候だった。私はちょっとゴシック風な昔のMartin MargielaのスカートとSusan Ciancioloのコートを着た。この格好は自分でも、今日という日に最高の取り合わせである気がしていた。ベケットの墓が見つかるまで、しばらく歩かなければならなかったけれど、確かにそこにあった。グレーの大理石と、ベケットの崇拝者たちが捧げていった数本のバラ。私たちはジャン＝ポール・サルトルとシモーヌ・ド・ボーヴォワールの墓（彼らが一緒に埋葬されている）も見た。シャルル・ボードレールの墓石もあった。ニックはとても喜んで、彼がラオスで阿片を吸って過ごしたクリスマス以来、最高のクリスマスだと言った。私にとっても、それは良いクリスマスだった。なぜなら新しい友達を一人、つくることができたから。

8

ベルギーへ行った理由

メンズコレクションが行なわれた二月、Dior Hommeのショーを見に行った。会場はパリに新しくできたアートセンターのパレ・ド・トーキョー。二年前にSaint LaurentをやめてDiorに移ってから、エディ・スリマンにとって三回目になるこのメンズコレクションは、これまでで最高の出来だった。クラシカルなコレクションとも言えるが、より成熟してきている。エディは八〇年代ベルリンのニューウェーブのファッションを引用する。時として彼のショーは、ドイツ臭さが鼻につく。会場を歩いている男のモデルたちが、ドイツ軍兵士のように見える瞬間には、嫌な記憶が蘇るものだ。

ところで今回のショーで私が気に入らなかったのは、モデルたちだった。みんな若い男ばかり、のっぺりしていてからっぽで、誰一人として見分けがつかない。ここがComme des Garçons Hommeとは対照的だった。Comme des Garçons Hommeのショーに出てくる男たちは、みんないい顔をしていて、特別な人間に見える。個人的に会ってみたいと思わせるような、個性をもっている。それにひきかえ、Dior Hommeのモデルたちに会ってみたいとは全然思わない。一人ひとりに、人間としての現実味がないからだ。そうは言っても、服それ自体は良かったたし、女性でも着られそうだった。

ショーのあと、改装されたパレ・ド・トーキョーと、そこでやっている展覧会を見た。この新しいアートセンターの登場は、パリでは大きな出来事だ。誰もがこの場所を話題にしている。現代アートに関する話題では、過去に例がないほどの、脚光の浴びかただ。私自身はどうかと言えば、正直なところ、大した期待は抱いていなかった。でもそれほど悪いものではないだろう、とも思っていた。建築のコンセプトは、非建築とでも言うのだろうか。半ば壊れていて、半ば再構築されているようなつくりだが、それが功を奏していない。インスタレーションはアートの感性というか、美意識というものをまったくもちあわせていない人間が手がけたように見えた。ブックショップは金属の籠に囲われている。籠に閉じ込められた本というのは、なんという発想だろうか。そしてアート作品については、私がこれまで見たことのあるもののなかでも、最悪の類に属するものだった。一体、どこから見つけてきたのだろうか？　観客が参加できる場所にするためのご意見箱や、何でも落書きをしていい壁などもあった。この種のことは、とても愚かな発想に思える。九〇年代初頭のアートシーンで、このようなユートピアが夢見られたことがあったが、そうした発想は一向に、現実にはならなかった。彼らの最新のニュースレターには、「パレ・ド・トーキョーにようこそ。仕事のあと、水曜日の夜に子どもを連れて。もしくは土曜日のショッピングの合間に。それとも日曜日にメシャック・ガバ（アフリカ人のアーティスト）の部屋へ、テレビを見にきませんか……」と書かれてい

る。私が考える「アート」はこういうものではない。アートとは世界に対する疑問を提起するものであり、最終的にはそれらの答えを提示するものであり、そして人々に新しい考え方やものの見方を示すものだ。アートはエンターテインメントではない。私がこの場所を訪れたとき、一緒にいたのはアーティストのマウリツィオ・カテラン、グザヴィエ・ヴェイヤン、そしてギャラリストのジェニファー・フレイだった。私たちは全員、がっかりしてしまった。私は「もしかしたら、たんに私たちが歳をとりすぎて、理解できないということなのかしら?」と訊いてみたが、この考えに同意した人はいなかった。私たちの出した結論は「これは大いなる失敗だ」というものだ。それればかりか、私は「ファック」という言葉を吐いてしまうほどやけくそな気分になった。

この事件であまりにがっかりした私は、ある意味、現代アートに完璧に失望してしまった。そこで昔のアートを見にベルギーへ行くことを思い立った。ブリュッセルでは、レンブラントとブリューゲルの絵を中心に見た。そこで泊めてくれたのはギャラリストの友人、ヤン・モット。彼が現在展示しているのは、私も大好きな現代アートの作家、シャロン・ロックハートとダグ・エイケンの写真だった。このことが私を嬉しくさせた。私は美しいものが好きで、彼らの写真は美しかった。ブリュッセルのあとはアントワープに行った。ここではオランダ出身の作家、オスカー・ファン・デン・ボガードと彼のボーイフレンドで俳優のスティーヴンが住んでいる所に泊めてもらった。彼らの住んでいるアパートは、以前ヴェロニク・ブランキーノとラ

フ・シモンズが住んでいた場所。ここがとにかくすばらしかった。二階建てのアパートで、両側に窓がある。片側からは古くからの、中心街の街並みが見え、反対側には郊外の景色が広がる。壁は部屋ごとにそれぞれ、木、レンガ、深緑色のヴェルヴェットなどが使われている。天井と床にも木が使用されている。オスカーとスティーヴンは、この部屋に、六〇年代の木製家具を揃えていた。この趣味はすばらしいと思った。

旅の最後には、海辺の町、オステンドに行った。恵まれた天気のなか、私はこの見知らぬ町で、ベルギー名物のパンケーキを食べた。

9
フィフティーン・ラヴ

三月の一日と二日。パリで「フィフティーン・ラヴ」という名のイベントがあった。これはイタリア人アーティスト、ジアスコ・ベルトリのプロジェクト。彼は七名の「アートプレイヤー」を、テニスの試合に招いた。このプロジェクトを、あとで本にする予定で。

選手の顔ぶれはこうだ。ジアスコ・ベルトリ（イタリア人アーティスト、かつてミラノ在住、現在はパリ）。フランクリン・サーマンス（ニューヨークから来たアート評論家、キュレーター）。クリストフ・ブランケル（もと『Purple』のアートディレクター、アーティスト、ニューヨーク在住）。マーク・ボスウィック（イギリス人写真家、アーティストでミュージシャン、ニューヨーク在住）。アンダース・エドストローム（スウェーデン人の写真家、ロンドン在住）。ブルーノ・セラロング（フランス人アーティスト、パリ在住）。ダヴィデ・ベルトルッチ（イタリア人アーティスト、パリ在住）。アンドレアス・アンジェリダキス（ギリシア人建築家、ニューヨーク在住）。

この選手リストを見ているだけで、愉快になってくる。まるで『Purple』が企画したイベントと言ってもお

かしくない顔ぶれだからだ。ダヴィデを除く全員が、『Purple』の誌面や企画イベントに参加したことがある。これまでまったくスポーツに関心を抱いたことのない私でさえ、この試合は他人事とは思えないものがあった。それに、いろんな都市に住む友人たちと一度に会える、といういい機会でもあった。

小さい頃、私はちょっとだけテニスをやったことがある。でもほかのスポーツと同様に、とても下手だった。一〇代の頃は毎年、全仏オープンに行っていた。ボルグ、コナーズやマッケンローが現役だったから、なかなか華やかな時代だったといえるだろう。だからつい、ボスウィックをマッケンロー、エドストロームをボルグにあてはめてしまった。この発想をあまりに短絡的、と責める必要はないだろう。明らかに彼らのあいだには、類似点があるからだ。アンダースはボルグと同じスウェーデン人で、背が高く、力が強い。ほとんどの選手は、アンダースのサーブを恐がっていた。私たちフランス人と違い、ヴァイキングを先祖にもつスウェーデン人は、あまりほかの人種と混ざり合うことがなかった。とても力が強く、逞しい人々だ。マークがコートを歩くときのその歩き方は、マッケンローにそっくり。神経質そうな逞しさ、という体つきもそっくりだ。

試合はパリの一二区にある、二〇世紀はじめに建てられた、美しいテニスコートで行なわれた。ここで試合のすべてを詳細に綴ろうとは思わない。というのも、まず、全試合を見たわけではないから。観戦したのは二日間のうちの、午後だけだった。それに、私はスポーツ記者ではないし、あなたたちもスポーツ雑誌を読んでいるわけではないのだから。私にとって面白かったのは、はじめてアーティストやキュレーターの男たちがスポーツをするところを見たことだ。彼らの新しい一面を垣間見ることができた。またショーツをはいていたために、彼らの脚を見ることもできた。アンダースはスポーツとなると、強い競争心をむきだしにする。彼は勝ちたがっていた。クリストフも競争心が強かったけれど、ジョークをさかんにとばしていた。逆に集中することが難しかったようだ。彼は最も優れた選手の一人だと私には思えたけれど、同時にいろんな問題を抱えていた。背中が痛いとか、ラケットが悪いとか（そんな苦情をもらしていた）。その前の日、二晩続けて飲みすぎたとか、ニューヨークから来る飛行機では全然眠れなかった、等々。アンダースとの試合のときは、口中アルコールの味がして、ほとんど吐きそうだったという。マークは一番競争心が低く、彼にとっては負ける

ということも、まったく大した問題ではないようだった。ジアスコはすべてに対してとても真剣で、ジョークの入り込む余地はまったくなかった。彼は準決勝でフランクリンに負けたが、どちらも優れた選手だった。ダヴィデの実力はほかの選手とはけた違いで、全敗してしまった。アンダースは首尾よくプレイしたが、これらのすべてにおいて、芯から真剣だったのかどうかはよくわからない。けれども、テニスの試合のためにパリに滞在すること自体を楽しんでいたようだった。ブルーノは勝ちたいと思っていたが、勝てなかった。

一番楽しかった試合は、マーク対アンダースの準決勝だった。彼らは二人とも、とても良いプレイをしたけれど、スタイルはまったく違っていた。マークが勝つだろうと思えた瞬間が何回かあったけれども、アンダースのほうが上手なのは明らかだった。この試合を観ながら、私たちはビールを飲みはじめた。コートはとても寒かったのだ。観客は一〇人から一二人で、その場にいた誰もが、たくさんの写真を撮っていた。

このあいだパリに滞在中、マーク・ボスウィックは私の家に泊っていた。彼が家にいてすることは、私の知っているどんな男性ともまったく違う。花を買い、果物を買い、掃除をして、皿洗いまでする。彼は写真の腕と同じくらい、料理上手。たった一五分間で、すばらしくおいしいイタリア料理のディナーを、何皿分もつくってしまうのだ。そして、さらに信じられないことには、マークは私の髪の毛を切ってくれもした。これらのすべてを、彼は自らすすんで、とても美しくやってのける。彼の家族になったら、どんなにラッキーだろうか。

さて、結末を語るときがきた。フランクリンとアンダースは、どちらも準決勝を勝ち抜いた。だからこの二人が、決勝を戦った。背が高いブロンドのスウェーデン人とアメリカから来た黒人という二人が戦う様子は、とても美しかった。自分がどっちを応援しているのか、ずっとわからないまま、しばらく時を過ごした。アンダースはとても仲の良い友人だけれど、私はどちらの選手も好きになった。二人とも、とても疲れていた。

アンダースはこの日、すでに二試合戦っていた。フランクリンは一試合戦っていて、その後仮眠をとっていた。たぶん、それが良くなかったのかもしれない。三セットの試合で、結局勝ったのはアンダースだった。彼はこの試合に勝とうとしていたし、それを成し遂げたのだった。決勝戦のあと、私たちは全員でディナーに行ったけれど、みんなとても疲れていた。観客であっても、寒さのなかにいたことが疲労を招いて、その夕食の場では、誰もほとんど何もしゃべらなかった。アンダースは青白い顔をして、筋肉も痛んだようだったけれど、それでも彼は幸せだったはずだ。彼の息子のニルスは「テニス・チャンピオン」をお父さんにもったことを、とても自慢に思うだろうから。

10

ニュースがいっぱい

ニック・トーシュとブラックジャック

ニューヨークの作家、ニックとの出会いについては、すでにここで触れた。彼がフランスの出版社と契約するため、二週間前にパリに来た。最初の驚きは、彼のスタイルが完璧に変わっていたこと。前会ったときは、ジーンズにスポーティーなジャケットだったのに、今回はブライトブルーのコーデュロイパンツ、シルクのシャツにファーの靴。いかにもマフィア風だ。次に驚いたのは、彼がギャンブラーだと知ったこと。今回はパリでどうしたらブラックジャックをプレイできるか、それを探していたのだ。『Purple』に時々寄稿してくれる友人、ジェラール・デュゲ=グラセールは詩人だが、プロのポーカープレイヤーでもある。彼に電話で聞いてみたところ、シャンゼリゼにある会員制のギャンブル・クラブ〈L'Aviation〉を推薦してくれた。私は数年前、ドーヴィルのスロットマシーンにはまったことがあり、すでにギャンブルの刺激に夢中になっていた。でもブラックジャックははじめて。クラブにはレストランとラウンジとバーがあり、ギャンブルの部屋がいくつかある。懐かしいフランス風のスタイルがとても気に入った。プレイには、ニックと私だけが参加した。私の持参金は五〇〇ユーロ

だったが、たちどころに全額失った！　でも、大した問題ではなかった。とても楽しかったから。一緒に来たレティシアも、この経験をとても楽しんで、その後の一週間、私たちはブラックジャックの話ばかりしていた。どうしたらまたあそこに行けるだけのお金が手に入るだろうか……と。

新しいボーイフレンド

新しいボーイフレンドができた。彼の名前はセバスチャン。私より五歳年下だ。私はいつも年上好みだったので、年下の彼氏ははじめて。最初の出会いは、私のアパートで開いたパーティーだった。二人ともとても酔っていた。彼はパリの若い哲学者、メディ・ベラ・カセムの親友。映画作家で、文章も書く。ちょっとクレイジーなところがある。彼は精神科医の息子で、入院患者に囲まれながら、クリニックで育った。最近気がついたことなのだが、私は狂気とすれすれの、その境界線にいるような人間が好きだ。興味深いし、より深い意味で人生の近くにいる気がするから。もう一つ気がついたことは、アートは多くの人を、ほんとうに狂気へ陥ってしまうことから救っている、ということだ。

私の誕生日

明日は私の誕生日。四月一五日、牡羊座だ。先週、私は自分が三五歳になるのだと思っていた。突然、自分がいくつなのかわからなくなってしまい、計算してやっと年齢がわかった。一九六八年生まれで、中年。三四歳になるのだ。明日の予定は、父親と〈Brasserie Lipp〉で昼食をし（母親は減量のためエステに行っており、パリ

にいない）、ニック・トーシュとカクテルを飲み、そしてボーイフレンドとディナー。

女性のポートレート

女性のポートレートを撮ろう、と思い立った。私が出会って、興味をもち、魅力的だと思うさまざまな女性を、写真に収めたいのだ。五、六〇代の女性たちもいる。私が美しいと思う女性たちだ。気恥ずかしいからまだ全員には頼んでいないが、何人かに話してみた。そのうちの一人は、自分を写真に撮ったら恐ろしいと思う、と言った。瞼が垂れ下がっているから、と。しかし、私が彼女を美しいと思うのはその瞼のためなのだ。ファッション雑誌や広告の罪は、歳をとった女性たちに、自分の身なりを「恥ずかしい」と感じさせてしまうことだ。私はそうは思わない。美に関して言えば、私のアイドルはソニック・ユースのキム・ゴードン（若いときよりも今が最も美しいと思う）と、パティ・スミス。

私の写真集

フランスのワン・スター・プレスという出版社のために、写真集を制作している。ここの本の多くはコンセプトをもとにつくられているが、私はコンセプトからはじまる本づくりはしたくない。コンセプトからはじまる本というのはたとえば、一五〇枚の海の写真とか、一五〇枚の猫の写真とか、一日のうちに撮られた一五〇枚の写真とか。そんなことだ。しかし私はそんな風には写真を撮らない。だから、イメージを使って本を書くつもりでいる。それによって感情を喚起させるようなものを。コンセプトが感情を喚起させるとは思わない。コンセプトは発想でしかなく、感受性とは関係がないから。

ツイン・ピークスの夜

友人のマリナ・ファウストはアーティストで、

Martin Margielaの写真を一〇年間撮りつづけている。彼女は最近、自宅でツイン・ピークス・ナイトを開催している。デヴィッド・リンチのこのシリーズをすべて、ビデオで持っているのだ。今晩は第一一話と一二話を観る予定。私は一〇年前、『ツイン・ピークス』が登場したときに観て、とても美しいと思ったのだが、それ以来、観ていなかった。だから現在、これを再び観ることはとても深い喜びだ。物事をかつてと違う風に捉え、以前は気づかなかったことに気がつくからだ。特にお勧めは第九話だが、どれもがすばらしく、いまだに輝きを失っていない。

トム・ヴァーレイン

もう一つの再発見はトム・ヴァーレイン。七〇年代ニューヨークのバンド、テレヴィジョンにいたメンバーだ。パティ・スミスのライブではギターを弾く。彼が出したレコードは三枚。私のお気に入りは『ザ・ワンダー』、一九九〇年の作品だ。私はこのCDを三年前に買って聴いていたのだけれど、そのうちに忘れて、失くしてしまった。だけど、私のボーイフレンドがこのCDを持ってきたので、一週間前からずっとこれを聴いている。かつて聴いたなかで最も美しく、セクシーな音楽だ。

11 アルメニアに行くまで

哲学の授業

もと哲学の教師で、今は映画作家になっている友達の個人授業を受けはじめた。それというのも、きちんと構造化された知的教育の必要性を感じたからだ。大学に行かなかった私は、これまではいつも一人で、本を読むことから学んできた。先生は週に一度、木曜日に私のアパートにやってくる。これまで一緒に、デカルト、フッサール、フーコー、ブランショ、バシュラール、ヴィトゲンシュタインの本を読んできた。私は哲学用語を知らないので、どれも難しい。なかでも最初の二回の授業は大変だった。彼はとても深い思考を要求してくる。大変だけれど、でもとても楽しんでやっている。すでに物事を、ちょっと違ったふうに見るようになった気がするし、自己表現をすることがより簡単になった気がしている。それ以外にも、国際哲学コレージュの講義も聴講しに行っている。この講義は五区にある美しい建物で行なわれ、無料で、あらゆる人に開放されている。

アートとお金

経済的にとても困った状況に置かれている友人が三人いる。彼らのことがすごく心配で、許すかぎり、なるべく力になろうと心がけている。彼らは全員、別格ともいうべきアーティストだ。小説家が一人、映画作家が二人。だから、この現状はとても不公平に思える。質の悪い本や映画が登場すると、いつも私は落ち込んでしまう。なぜなら、優れた人々が作品をなすためのお金を手に入れられないから。どうしてお金というものは、ほとんど最悪の、愚かなガラクタに使われてしまうのか？　私たちをとりまく世界の、それは何を示唆しているのだろう？　またもう一つ気がついたことは、アーティストを支援するために金を出そうという寛大な人々が減りつつあるということだ。これらすべてのことが私に思い起こさせるのは、アメリカの文化なのだ。

サタジット・レイ

小津安二郎とならぶ、私のお気に入り映画監督は、インド人（ベンガル出身）映画作家のサタジット・レイだ。彼の映画を発見したのは、一〇年前のこと。今週パリで、彼の映画祭がはじまった。パリにはたくさんのアート映画館と呼ぶべきものがある。こぢんまりとして、ちょっと古臭く、すわり心地の悪い椅子があり、五区や六区に多い。一年中古い映画を上映していて、溝口健二や黒澤明、ラオール・ウォルシュやジョン・ヒューストンなどをやっている。映画作家の何人か、たとえばヒッチコックなどは、ほとんど毎年のようにフェスティバルが行なわれているけれど、なかなか観られない映画作家もいて、シネフィルと呼ばれる映画愛好家たちは、何年間もその上映を待ち焦がれている。サタジット・レイがいい例だ。私は今、彼の映画を毎日のように観ることができて満喫している。ほとんどは一〇年前に観たものだが、はじめて観るものもある。特に気に入っているのは、ほとんど完璧なまでに美しい映像と、深みのある内容。小津の映画を好きな理由と似ている。でも、この二人の様式はまったく違う。小津はジオメトリックで色彩にみちているが、レイはぼんやりしていて、自然に近い。彼らはどちらも、とても深いやり方で、人間の行動と感情を、固有の文化とともに見せている。

ボブ・ディラン

この五日間、パリは死んでいた。水曜と木曜が祭日だったため、ほとんどの人が金曜日に仕事をせず、パリを五日間留守にしたのだ。友達も旅行に出かけていたので、私はちょっと淋しくなった。毎朝、ボブ・ディランの昔のレコードを聴いていたが、そのおかげで一日、幸せな気分になれた。ディラン・セラピー。最近、友達がくれた一枚は、私が知らなかったもので、サム・ペキンパー（彼もまたすばらしい映画監督である）の映画『ビリー・ザ・キッド／21才の生涯』のサウンドトラック。ボブ・ディランは出演もしている。この録音にはいくつかのインストゥルメンタル曲のほか、「天国への扉」も入っている。この曲は大好きだ。

クラシックへ

もうお気づきかもしれないが、最近の私のインスピレーションは、クラシックなものからきている。このことについて考えて、そして出た答えは、私たちがいる今この時代はあまり面白くない、ということだ。触発されるものがないし、クリエイティブでもない。九〇年代は音楽、映画、アートなどにおいて活気のある時代だった。しかし二〇〇〇年以降は、ほんの少しの例外をのぞけば、私にとってとても退屈なのだ。私は表面的なものに興味がないし、同じ物の繰り返しに面白味を感じない。だから、粗悪な文化をつまみ食いするより、クラシックに向かうのだ。これを書きながら私は、ローリング・ストーンズを聴いている。

アルメニア

あと一〇日で、私はアルメニアに行く。オリヴィエと私はそこでの会議に招かれているのだ。この国について、私はほとんど何も知らない。知っているのは、トルコ人による虐殺で苦しんだ人々であるということ、イスラム教徒の国に囲まれていながら、キリスト教徒の国であること。どんな風景なのかは想像もつかない。スターリン様式と（歴史的にソビエト連邦の一部だったことがある）オリエンタルな建築が混在する街並みなのだろうか。

三日前、友達と〈Le Select〉でディナーをした。ヘミングウェイとフィッツジェラルドがよく通ったことで知られる、モンパルナスの古いカフェだ。私たちの机の近くに、七〇歳ぐらいと思われる、とても美しくてセクシーな女性がいた。その年齢でセクシーなんて、と思うかもしれないけれど、信じてほしい。彼女はグレーのロングヘアで、アイメイクをしていた。下品さはまったくなく、純粋に美しかったのだ。「ポートレートを撮ってもいいですか？」と頼みに行ったけれど、まだ承諾してくれていない。しかし、驚いたことに彼女は、アルメニア人だった。私に電話番号を教えてくれ、アルメニアに行く前に電話を、と言った。これはいい兆候かも……。

12
アルメニアへ行った理由

アンナ・バルシージアンは、ジュネーヴ在住のアルメニア人アーティストで、アートの評論家。毎年、彼女はイェレヴァン(アルメニアの首都)で、一週間にわたるアートイベントを企画している。展覧会と会議、映画の上映会を行なうのだ。その彼女が今年、私とオリヴィエを会議に招いた。議題は「イメージ」。私たちは二人とも、そこに行くまで、アルメニアという名前から何も想像することができなかった。唯一の知識といえば、一九一五年にトルコがしかけた虐殺によって苦しめられた人々の国であるということ。このアートイベントは、アルメニアの国立映画館で行なわれた。私たちは『Purple』がこの一〇年間、映像とどう関わってきたかを語った。

アルメニア国立映画館

イェレヴァンの丘の上に建つこの建物は一九七六年の建造物だが、すでにはげしく傷んでいた。映画館はアルメニアが独立した九一年からこの建物のなかに入っている。それまでアルメニアは、ソビエト連邦の一部だった。入り口には、ゴダールの映画『軽蔑』の大きなポスターが掲げられている。確かに、この小劇場ではゴダールの存在はとても大きい。アルメニア人でカナダ在住の著名な映画監督、アトム・エゴヤンをしのぐほどだ。上映する部屋はみな小さく、古びた六〇年代のアームチェアが置かれ、中央にはオリエンタルな絨毯がしかれていた。部屋にはさびたフィルム・ボックスが飾られている。五年前からつい最近まで、この映画館はほとんど機能していなかった。毎日、電気が一時間しか通っていなかったからだ。

映画監督のガレギン・ザコヤンは、海外映画のさまざまな、面白いフェスティバルを企画している。彼のオフィスに行くと、ゴダールが彼あてに送った手紙が額に入って飾られている。その額縁には、小さなドライフラワーが入っている。その隣に絵やコラージュがあり、彼の家族の古い写真があり、宗教的なオブジェがあり、ビデオがある。彼のオフィスは私が見た仕事場のなかでも、最も美しいものだった。その人の魂と、彼の人生の歴史を肌で感じることができた。企業的なオフィスとは、正反対の場所である。

イェレヴァン

建物はみな、赤みのある火山岩で建造されている。様式はどの街とも違う。三〇年代様式とオリエンタル建築が混ざっているのかもしれない。街中が損傷を受けており、貧困の印象を与える。金持ちが住んでいそうな地域は見当たらない。とはいえ醜いわけではなく、かといって美しいというのでもない。道路は幅広く、たくさんの街路樹が植えられている。二〇世紀初頭より古いと思われるものはほとんどなく、現代的な建築も醜いポストモダンのコングレス・ホテル以外には一切見当たらない。良い点といえば公園で、ロンドン以上にたくさん、素敵な公園がある。ここが実際に、家族や友人や恋人たちが出会って、時を過ごす場所なのだ。とても明るい雰囲気だ。

車

車は七〇年代のソビエト型で、これは現在もまだ製造されている。四角くて、色はライトブルー、ライトグリーン、ライトイエロー、ライトブラウン、ベージュ。こういう色の車はもう今ではほとんど見かけないけれど、それはほんとうに残念なことだ。人々は車の手入れに熱心で、しょっちゅう洗車している。パリやニューヨークやロンドンにあふれかえる車より、よっぽど美しい。車と建物というこの二つの要素によって、ほんとうに西洋から遠く離れて、どこか違う場所に来たのだ、ということを実感する。電話もそうだ。緑色で、私たちが六〇年代に使っていたような形をした電話器。

蚤の市

洋服、刺繍された布、五〇年代の模様が入ったロシアの布。サングラス、宝石、靴、医療器具、化学薬品、あらゆる電気部品。犬や猫、レーニンの小さな像。ア

ルメニア語とロシア語の本。古いロシアの革命新聞、カメラ。ほとんどすべては中古品。

食べ物

友人の一人が、アルメニアからそう遠くない国、カザフスタンに滞在していたことがある。彼は食べ物がまずくてとても苦労した、と言った。だから私は、少し心配していた。何も食べられなかったらどうしようと思い、クッキーを買っておいた。しかし、アルメニアはカザフスタンとは違った。食べ物はとても気に入ったし、おなかいっぱい食べた。食べすぎたくらいだ。春と夏によく食べるものは、とても大きなパンケーキ。きゅうりやトマト、ズッキーニ、なす、山羊のチーズと、籠に入ったたくさんのハーブが一緒に出てくる。アニス、コリアンダー、レッドバジル、パセリ、タラゴン。いくら食べても、もう充分とは思えなかった。この国に、まずいフランスのクッキーを持っていった自分が恥ずかしくなった。

女の子

美しくてエレガント。髪の毛はとても黒く、肌はぬけるように白い。ミニスカートとハイヒール、という格好の子が多い。彼女たちのファッションは私たちのものとは全然違う。選択肢は少なそうだけれど、とてもフェミニンで、シンプルで、良い趣味をしている。イランとトルコの国境線上にあるこの国は、イスラム教ではなくて、キリスト教だ。キリスト教徒は、ミニスカートとハイヒールでもいいのだ（イスラム教は駄目だけど……）。髪の毛を真っ黒のままにしている女の子たちが「ふつうの」アルメニアっ子だということに気がついた。赤く染めているような子は、伝統にちょっと反抗していて、たぶん「ヒップな」子なのだ。そしてブロンドにしている子。数は多くないが、そういう女の子は大抵、マフィアの男たちと一緒にいる。

男たち

男性も、とても美しくてエレガントだ。黒いスーツ姿の若者たちをパゾリーニが見たら、さぞかし気に入っただろう。群れをなし、太陽が出ていなくても、黒いサングラスをかけている。一二歳か一三歳にしか見えない子たちが、三〇年代風のダンディーないでたちで、タバコをたくさん吸っている。

五月二四日、学校が終わる日

街中が参加して、エレガントに装う日、一〇代の男の子はスーツを着て、一〇代の女の子はシルクのシャツとミニスカートを着る。大概が白と黒、ボルドーと白、または黒と赤の組み合わせ。タイをしている子も多い。女の子はみな群れをなし、そして、やはり群れをなした少年を連れている。街のカフェやレストランのどこでも音楽がながれ、あちこちで自然とパーティーがはじまる。人々はストリートで踊る。オリエ

ンタル風の踊りは、とても美しい。パーティーは、一晩中続く。永遠に見ていたいと思ったけれど、私たちはディナーの席が用意されていたので、行かなければならなかった。

郊外へ

土曜日には、昼食に招かれて、田舎に住むアーティストの家に行った。彼の家は緑の山に面しており、小さな川を見渡せる。ドライブしてそこに着くまで、私たちはいくつもの丘と谷を越え、そのあいだにたくさんの湖を見た。トルコのアララト山はこの地域で最も高い山の一つで、どこに行ってもその山が見えている。少し雪がかった山頂を見て、私は富士山のことを思い出した。アーティストは朝釣ったばかりの鱒を料理してくれ、私たちはウォッカを飲んだ。アルメニア人たちは、とてもいい民謡を歌う。それは感動的だ、と私は思った。それにひきかえ私たちフランス人、ベルギー人やスイス人は、安っぽいポップソングしか歌え

なかった。

帰路

「文明化した」社会に戻るのは、とても困難に感じられた。アルメニアに比べて、パリが文明化されているとは思えない。私たちはあまりにも意味のない物や場所、アイデアに囲まれて生きている。自分の生活に戻るのは嫌ではなかったが、消費生活だけをゴールに考えている人々のことが可哀想になった。

13

なぜ新聞をはじめるのか？

とても個人的な動機

九月一一日、私は恋に落ちた。ニューヨークの事件を聞いたそのすぐあとに、当時のボーイフレンドに電話をかけた。ジャーナリストの彼をひとまずＡＶと呼ぼう。テレビで見た映像に私は衝撃をうけていた。世界中の人々と同じように、そのショックから生じた感情はとても強いものだったのだ。そんなときは大抵、親しい人と話をしたくなるものだ。家族とか、友達とか。そしてこのとき、私が話したかったのはボーイフレンドだった。ＡＶをやっと電話でつかまえることができたとき、彼は私に叫んだ。「俺は忙しいんだ！　ジャーナリストなんだから、テレビを見てなきゃならないんだよ！　君は僕の邪魔をしてる！　それじゃあ」。その怒鳴り声だけ。私たちの関係は、そのときはもうすでにうまくいっていなかったのだけれど、その瞬間、まさに終わった。ツインタワービルへの攻撃と、私自身に向けられた攻撃。その両方のショックにうちひしがれていた三〇分後、私はＭＢから電話をもらった。彼は私よりずっと年配で、常々とても尊敬している人だった。しばらく前から、彼のことが気になっていた。ＭＢは「恐ろしいことが起こった。僕たちは今、歴史的な瞬間を生きている。そし

て僕は、君と話をしたいと思ったんだ」と言った。このとき、私は完璧に恋に落ちた。ここですべてを語りはしないけれど、私は恋に落ちるといつも、その人と何かをつくりたいという欲望にかられる。それが子どもであることはほとんどなく、大抵が雑誌や出版物なのだ。私が『Purple』をはじめたのも、オリヴィエと恋に落ちたからだった。彼は五年間、私のボーイフレンドでいたけれど、今でも私たちは親友だし、とても良いパートナーだ。

MBの影響

MBもまた、「新聞をつくろう」という影響を私に与えてくれた。それはたくさんのテキストを含み、エモーショナルで主観的、同時に深く分析的で、多くの人に届き、人々の思考方法を変えるものである。MBは過去に、いくつもの新聞をつくっている。どれもすばらしかった。一九八四年には『L'Autre Journal(もう一つの新聞)』、九二年には『Encore(まだ)』、九四年には『L'Azur(紺碧)』。数ヶ月で終わったものもあれば、数年続いたものもある。多くの人々にとって、それらは伝説的な存在だ。MBは私の新聞のなかで、独立した一つのジャーナルを担当する。彼はインディペンデントでいることを望んでいるし、おそらくそのほうがいいのだ。

『HÉLÈNE』

私の新聞の名前は『HÉLÈNE(エレーヌ)』。女性の名前をつけたいと思ったので、自分の名前に近いタイトルを選んだのだ。このことで、読者と自分のあいだに、親密な関係を築くことができる。女性の名前はよく「女性誌」に用いられる。『マリ・クレール』や『ジェーン』などのように。今回は女性の名前が新聞に使われる。そこは通常、男性の領域である。この新聞で、私たちは世界に向けて、女性のヴィジョンを伝えたいと思う。けれども、つくり手には男性も女性もいるし、男女両方の読者に向けている。ここにはあらゆる話題が登場する。政治、社会、ライフスタイル、文化、その他。

自分の欲求か、マーケティングか

ここ数年間というもの、フランスには面白い新聞がなくなっている。私がニューススタンドに行くと、いつもがっかりしてしまう。買いたい新聞がないからだ。何かを買っても、日刊新聞だろうが週刊誌だろうが、ほとんど面白い記事はみつからない。私はジャーナリストたちが使う語調が好きではない。ありもしない客観性。だから私は、自分自身のために、新聞をつくりたいと思った。私のように感じている人は、たくさんいるはずなのだ。私がなにかをするときは、いつもこういうやり方だ。自分自身の欲求からはじめるということ。大抵、多くの人たちはその逆をする。よその誰かの欲求をさがし出し、それを実現しようとする。これが私の憎悪するマーケティングだ。人々が何を読みたいか、何を見たいか、何を聴きたいのか。そんなことを考えはじめたとたん、その人自身は消えている。マスコミは世界中から利益を吸い上げることで、頭がいっぱいだ。これがクリエイティビティや面白いアイデアを殺している。

『Purple』は続くのか？

もちろん、続ける。『Purple』は私の、またもう一つのプロジェクト。ヴィジュアルの、アーティスティックなクリエイティビティについての、永続的な調査なのだ。読者はインターナショナル。『HÉLÈNE』は今のところ、フランスだけに向けられている。双方のプロジェクトは、互いに補足しあうものだ。時々私は、自分がこなさなければならなくなる仕事量が心配になってくる。この日記を読んでいる人は気づいているかもしれないが、去年、私はあまり仕事をしていなかった。でも今、私はこの新しいプロジェクトに興奮している。そして、たくさん仕事をするぞ、というエネルギーに満ちている。『HÉLÈNE』は二〇〇二年一〇月に発行される。『Purple』がはじまってから、ちょうど一〇年になるのだ。

レティシア・ベナとクリストフ・ブランケルが『HÉLÈNE』の編集者だ。クリストフはアートディレクターでもある。この日記でもかつて紹介したセバスチャンは、『Purple』一〇周年の記念映画を制作中である。

14 私とパリ

パリと私の関係は、つねに情熱的。好き、嫌い、そのどちらかだ。好きなのは、昔ながらの場所であることが多い。流行りの場所は嫌い。自分が違う街に住めるかどうか、考えてみたことが何度かある。白状すると、私はロンドンが大嫌い。私が名付け親になった、アンダース・エドストロームと塩尻ヨシコの子どもたちがそこに住んでいるにもかかわらず、あの街に行くことができない。だからほんとうは、名付け親失格なのだ。ニューヨークにはここ数年、ずっとがっかりしっぱなし。東京はちょっと大きすぎるし、言葉が問題。そこで残った選択肢は、リスボンとリオ。この二つの街はとても魅力的だ。何度か引っ越しを本気で考えたことがある（数時間だけど）。どこかほかの場所を夢見ながらも、心の底では、政治的な理由で立ち退き要求でもされないかぎり、自分はパリを離れないだろうということを、私はちゃんと知っている。

一六区

私はパリの一六区で生まれた。日本の人にそう言っても、そのことがどんな意味をもつのか、それともなにも

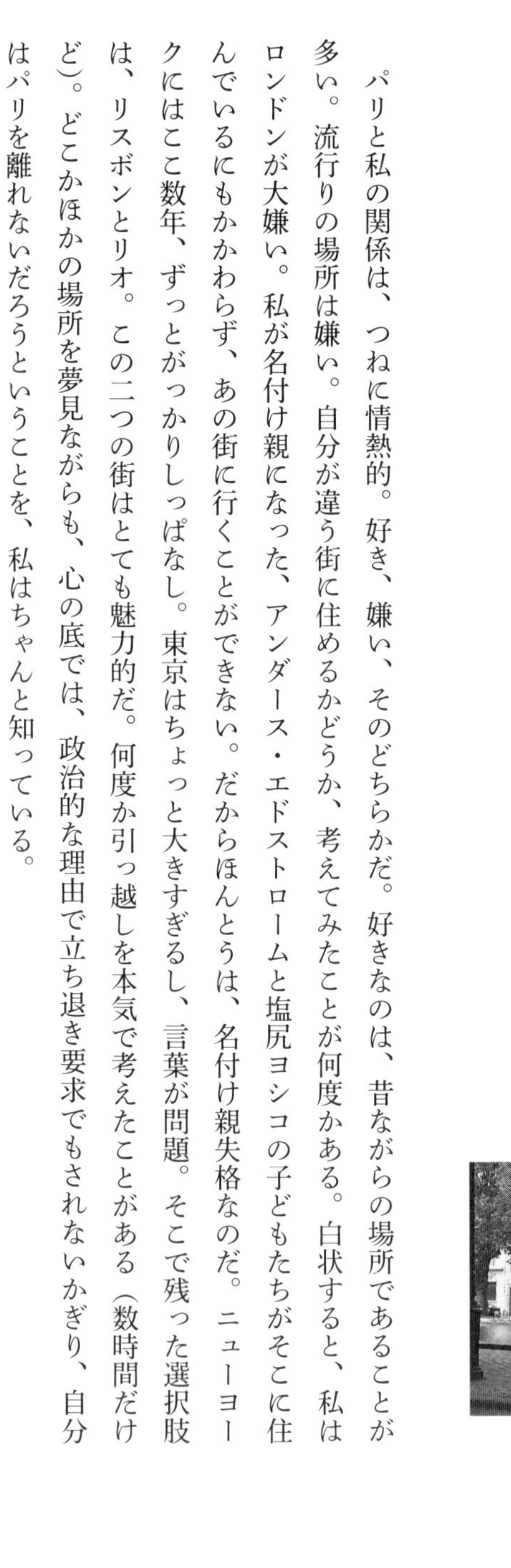

意味しないのかわからないけれど、もしパリでこう言ったら、あきらかに特別な意味がある。そこは金持ちだけが住んでいる「ブルジョワ街」。人々が一六区という言葉から想像するのは、そういうことだ。私の家族はそれほどブルジョワでもなく、そんなに金持ちではなかった。でも、一六区に住んでいた。ここは私が大嫌いな場所。決して戻らないと心に決めている。ここ一〇年でその地域に足を踏み入れたのは、映画館に行くためだったり、現代美術館に行くためだったり、ファッションショーのためだったりしたけれど、そういうときはいつも不快になる。私が嫌いだった学校のことを思い出す。

サンジェルマン

私が家族と離れて一人暮しをはじめたのは六区のサンペール通りだった。一九八九年のこと。当時のことを思うと、ノスタルジックな記憶が蘇える。このアパートで、私は『Purple』をはじめた。そこに住んでいるときに、今でも大事な私の友達、オリヴィエやドミニク・ゴンザレス＝フォルステルなどに会ったのだ。この場所のことを考えると、私が仕事をはじめる前、映画館にしょっちゅう行っていた頃を思い出す。今六区の変わりようは激しく、かつてあった本屋の多くは店を閉め、代わりに洋服の店が増えた。本屋は街に思い出と息吹を与えるけれど、服屋はそれらを街から奪う。今では私も、六区のなかの決まった場所しか行かなくなった。本を買いにサンジェルマン大通りの〈La Hunne〉か、エコール通りにある〈Compagnie〉へ。食事なら、ポン・ドゥ・ロディ通り六番地にあるお気に入りの中国式サロンドテ〈T'cha〉。もしくはサンジャック通り一七番地にある中華料理のレストラン〈Mirama〉に。それか、映画館へ映画を観に。ほとんどのアートシネマがサンジェルマンで上映される。古い映画やインディペンデント映画を、私はほとんどこの地域の映画館で観てきた（パゾリーニ、タチ、ゴダール、アントニオーニ、ベルイマン、小津、リンチ、等々）。私が好きな庭園も六区にある。リュクサンブール公園。ここには一人で、時にはクリストフ（『Purple』のもとアートディレクターで、今度はじめる新聞『HÉLÈNE』のアートディレクターでもある）と一緒に行く。一日の終わりに、ここの緑の金属椅子に腰かけて、話をする。気がつくと、そこで良いアイデアが浮かんでいることが多い。

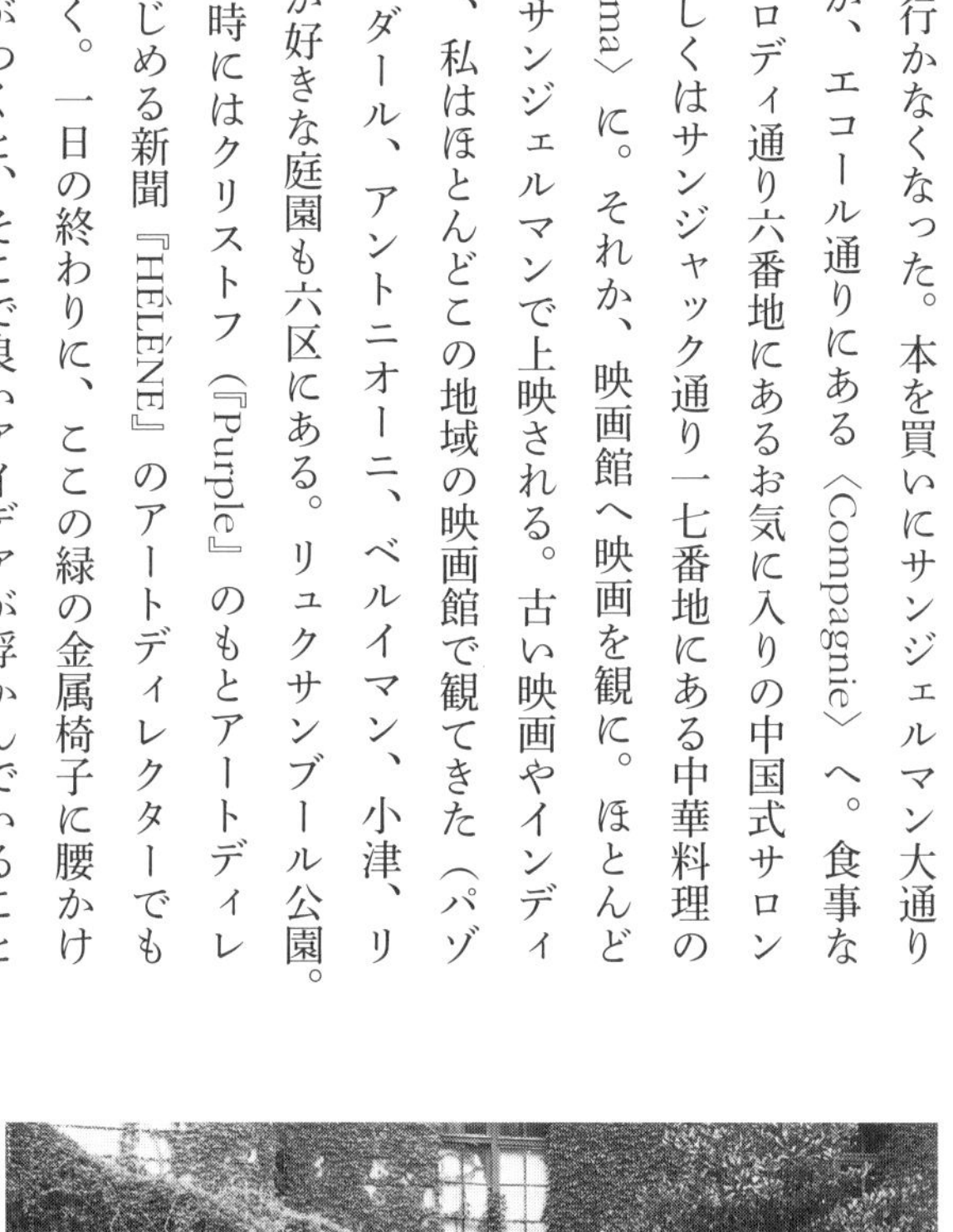

一三区

一三区にも住んだことがある。六区同様、ここは左岸である。パリはセーヌ川で右岸、左岸に分かれている。かなり前から私は、パリで自分が快適になるのは左岸であることを自覚している。川を越える橋を渡りながら、

雰囲気の変化を感じとれるほどだ。一三区はパリのチャイナタウンの一つでもある（チャイナタウンは三つあり、一つはベルヴィル地区。もう一つはボーブール地区の隣に小規模なものが）。七〇年代の建物に住んでいた。二六階だ。そこにはまったく違うパリがあった。事実、住人のほとんどはベトナム人か中国人で、私はそこでは、ほんの一握りのフランス人だった。一三区、特にトルビアック通りとイヴリー通りとショワジー通りの三角形は、パリで最もお気に入りの場所の一つ。木が多く、行き交うのはほとんどがアジアの人々で、レストランもアジア料理。私が食べるのは、ほとんどアジア料理なので、これ以上良い場所は見つからないだろう。もう一つ私がここを好きな理由は、観光客がほとんどいないこと。記念碑がなく、美術館がないから。パリのチャイナタウンはニューヨークやロンドンと違い、観光の対象になることがない。ここを引っ越すと決まったときはとても悲しかった。

ビュット＝ショーモン

この地域にも、数年間住んだ。私たちが住んでいたビルの裏にあったシモン・ボリバル通りのあたりは、ちょっとした村のよう。ここを発見したときはとても嬉しかった。昔ながらのパリの空気が残っている。ある日、通りに階段を見つけた。友達といたので、一緒に上ってみた。かなり高い階段を上りきって着いたのは、小さな家の集まり、たくさんの通り、そして店はなく、レストランもない。小さな建物と、ブドウ園だけ。息をのんだ。この地域は小高い丘の上にあり、三〇年代、その周囲に高層ビルが建てられた。でも、階段と丘へと続く一本の道、それだけ手つかずのまま残されたのだった。ほとんどの人は、この場所を知らないけれど、私は本気で推薦したい。そこに行くには、マチュラン・モロー通りを行き、フィリップ・ボネ通りを辿ればいい。

ベルヴィル地区

ここはパリで最も、異文化が混ざりあう地域だ。中国人、アラブ人、黒人、ユダヤ人のコミュニティーが混在している。『Purple』の事務所からそう遠くないので、ここにはしょっちゅう足を運ぶ。パリで最もおいしいベトナム料理のレストラン〈Dong Huong〉がある（ルイ・ボネ通り一四番地）。食べ物はいつも新鮮でおいしいし、ファッション業界やアート業界の人たちともよく出会う。別にヒップな場所というわけではないけれど、たくさんの人がここに来る、それは事実だ。

15 ニューヨークの九月

九月にセバスチャンとニューヨークへ行った。彼は『Purple』についての映画を撮っているのだ。セバスチャンが考えたのは、パリとニューヨークで映画を撮りたい、ということ。ニューヨークは『Purple』の歴史に、いろんな影響を与えた街だ。彼は東京にも行きたい、と言った。確かに東京も『Purple』にとって重要ではあるのだが、予算的に無理だった。とても低予算なのだ。彼がニューヨークで撮った三つのシーンは……。

スーザン・チャンチオロとのピクニック

ニューヨークのファッションウィークに、スーザンはソーホーにある資生堂のスペースで展覧会を開いた。部屋の中央には、いろんな布の切れ端を縫い合わせたものが置かれていた。とてもおいしいクッキーを並べた皿があり、壁に沿った二つの長い棚には、あらゆる手づくりのものが置かれていた。本、小さな動物、バッグ、写真、ドローイング、等々。スーザンは多くの人に、彼女の展覧会のために「何でもいいから手づくりのもの」を送ってほしい、と呼びかけていたのだった。そして、つきあたりの壁に、スーザンのつくった服が、布の袋に入って

置かれていた。これを彼女は「ゲーム」と呼んでいる。ここに来た人は、自分でその小さな袋をあけて、ドレスやパンツ、スカート、写真、ファンジンなどを「発見」するのだ。

セバスチャンはスーザンと私が、ニューヨークの郊外でピクニックしているところを撮影したい、と言った。そこで翌日、車を借りて、スーザンが運転することになった。ハドソン川沿いを行こう、と私は提案。一時間運転したら、湖が見つかったので、そこでピクニックの準備をした。ボートを修理しているおじいさん一人に出会ったきりで、まったく人気（ひとけ）がない。緑がとても美しく、理想的な風景だった。スーザンは三人分のサンドイッチをつくってくれた。アメリカ人は、私たちフランス人より、ずっとおいしいサンドイッチをつくる。ビールも飲んだ。スーザンはしばらくロンドンに住んだあと、アメリカに帰ることにした、という話をした。自分の会社を閉めてから、ヨーロッパで一息つくことが彼女には必要だったこと。でも今はアメリカに戻って幸せだということ。

今スーザンは、服づくりを続けていこうと思っている。自分一人になって、自由になったのだ。しかし、自分自身のリズムに従うために、会社はつくらず、人も雇わない。彼女がしていることは、ビジネスではないからだ。現時点では家を持っていないのだが、田舎に住むことも考えているという。お金もないのだけれど、全然心配はしていない。生きていることの幸せをこんなにも感じたことは、今までになかったから。ニューヨークに戻ってきて、私たちは道に迷った。ブロンクスのスペイン人街に辿りつき、そこで道を訊いた。スーザンはまったく方向感覚がないので、私たちも手伝った。

マーク・ボスウィックのヘアカット

マークは優れた写真家でありシェフであるだけでなく、優秀なヘアドレッサーでもある。彼は家族の、ときには友達の髪を切る。パリで一度、私の髪を切ってくれた。セバスチャンは、マークが公園で私の髪を切る、というシーンを提案した。そこで、私たちはブルックリンのプロスペクト公園に行き、芝生の上に座った。マークは『Purple』について語り、私の髪を切った。彼は絶対に、まっすぐに切り揃えたりはしない。めちゃくちゃなやりかたなのに、しまいには良く見える。とにかく私には似合うのだ。彼の奥さんは、マークのヘアカットに文句を言っていたけれど……。

マークはブルックリンのフランス人街に住んでいる。だから、夜はフランス料理のレストランに行った。私たちにとっては、奇妙な感じだ。マークと彼の妻のマリアは、家族のためにとても大きな家を買ったばかり。今は改修の最中だ。撮影スタジオが入るという。その家には木の茂った小さな庭もある。

ユタが演奏するノイズミュージック

セバスチャンは『Purple』のファッション写真にしばしば登場するユタ・コータに注目し、彼女を撮影したがっていた。ユタはドイツ人の画家で、一〇年間ニューヨークに住んでいる。彼女はつねにアートと音楽の中間にいた。トム・ヴァーレインと一緒に住んでいたことがあり、ソニック・ユースのキム・ゴードンとは良い友達だ。彼女は美しい。万人にわかりやすい美しさではないが、特別なのだ。最近は、私も知り合いのアーティスト、スティーヴン・パリーノと音楽のパフォーマンスに取り組んでいるという。私たちは数日後、ブルックリンのガレージで会う約束をした。そこで彼らは、三〇分間演奏をしてくれた。ノイジーな音楽がとても気に入った。

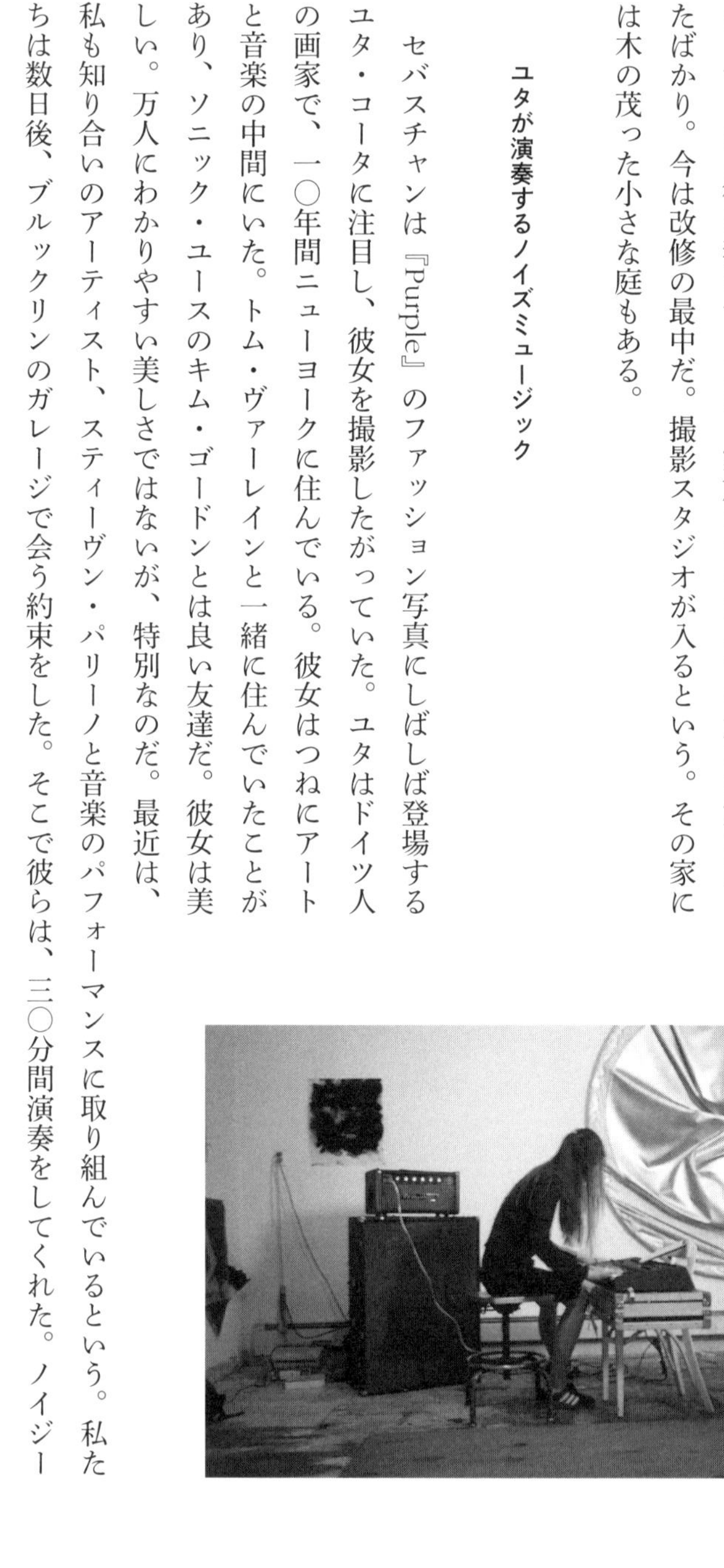

ニック・トーシュとの昼食

ニューヨークで私が最も会いたかった人の一人は、敬愛する作家、ニック・トーシュだった。私たちはパリでよく会っていたけれど、地元での彼はどういう風なのか、興味があった。まず彼のアパートを訪れ、そしてランチに出かけた。これでニックに会うのは三度目なのだけれど、彼の風貌は三回とも完璧に違っていた。最初はとてもカジュアルで、ごく平均的なアメリカ人の服装だった。二度目は、マフィア風のシックな装い。今回は、刑務所から抜け出したばかりの人みたいに、大きなグレーのパンツと下着みたいな袖なしのTシャツ。そして頭を剃っていた。家ではストーンズを聴いていた。アメリカで新刊『ダンテの遺稿』を出したばかりで、出版社は本のプロモーション用に、たくさん講演会やサイン会をしてくれ、と要請するのだそうだ。そのために頭を剃ったらしい……。ニックは私をイタリア料理店に連れていった。到着するなり、店長がとんできて世話をやく。きっと常連客なのだろう、と思った。でも、すぐに奇妙な感じがしてきた。彼の振舞いも、そしてレストランにいる誰もが、まるでマフィア映画の一シーンみたいな感じなのだ。そこで私は思い出した。彼はマフィアについての著作がある。あれほど的確なドキュメンタリーを書くには、マフィアと個人的なつながりがあるに違いない。そう思って聞いてみたら、「そうなんだ、若い頃はね」という答え。私の目の前にいる「もとマフィア」は数分後、野球の試合で賭けをするため、出版社に電話していた。彼はまた、一人の給仕の態度が良くないと言って、替えさせた。でも、それだけではなかった。三〇分後にパティ・スミスが現れ、昔からの友達の彼にハローと言って、隣のテーブルに座ったのだ。こうしたことが起こっている最中、私はずっとワインを飲んでいたので、非現実感はさらに高まった。ランチの後半、私はパティ・スミスを眺めてすごした。彼女の美しい手と顔、表情を見つめ、彼女の声を聴きながら、私とニックは恋愛について、別れの難しさについて語り合った。

16

一〇年間、一〇の記憶

二〇〇二年秋、『Purple』は創刊一〇年を迎えた。一〇周年ということで、ノスタルジックな記憶が蘇ってくる。そこで気がついたのは、私の記憶は写真的だということ。写真から思い出すいくつかの出来事もあれば、写真がなくて残念だと思う記憶もある。写真のある記憶と、写真のない記憶をまぜながら、書いてみることにした。

1

サンペール通りにあるアパートの階段を下りていた。その日は晴れていて（でも、ほんとうにそうだったのか？）、私は当時のボーイフレンドで今も『Purple』を一緒にやっているオリヴィエと一緒にいた。階段を下りながら私は、「私たちも雑誌をやったらどうかしら？」と言った。こんな感じの、とてもシンプルなはじまりだった。知り合いが新しいアート雑誌『Documents』を創刊したばかりだった。私はそれが嫌いだった。私が考えるアートとまったく違う、と思ったからだ。とてつもなく落ち込んだが、その怒りがオリヴィエと一緒に私自身の雑誌をつくろう、というエネルギーをもたらしたのだ。

2

一九九二年秋、『Purple Prose』創刊号が完成した。私たちの新しい雑誌の刊行記念パーティーを企画したパリ市立近代美術館のブックコーナーに立っていた。人がたくさん来た。自分が何を感じていたかは覚えてない。同じ日に、マドンナの写真集『SEX』が刊行された。

3

〈ギャルリー・ジェニファー・フレイ〉に、現代アート作家のクロード・クロスキーといる。クロスキーは『Purple』の初代アートディレクターだ。夜になると、彼と私は画廊のコンピュータの前でレイアウトをする。私たちはまだ、雑誌のレイアウトができるようなコンピュータを持ちあわせていなかったので、閉廊している夜なら機械を使ってもいい、とジェニファーが言ってくれたのだ。そんなわけで、クロスキーとは何日も、コンピュータの前でアールグレイを飲みながら、一緒にレイアウトをした。私は彼からグラフィックデザインのソフトの使い方を学んだ。ジェニファーが画廊を開けに朝一〇時に来ると、私たち二人がまだいたということが何度かあった。

4

この写真はイタリアのヴェネツィアで撮ったもの。一九九三年だと思う。左から右へ、オリヴィエ、ドミニク・ゴンザレス＝フォルステル、私、クロード・クロスキー、そしてジェニファー・フレイ。誰がこの写真を撮ったのかわからない。みんな今見ると別人のようだ。そこにはヴェネチア・ビエンナーレを見に行ったのだった。私の両親が、友達からとてつもなく大きなアパートを借りていて、オリヴィエと私、ジェニファーとクロスキー（当時二人はカップルだった）、そのときいたみんなが私の親と一緒に、そこに泊まっていた。とても豪華で美しい場所で、こんなところに足を踏み入れることは、今後一生ないように思う。とても裕福な、イタリアの貴族にでもなった感じだった。部屋のスケールといったら、想像を絶していた。オリヴィエと私がそこに着いたとき、巨大な回廊があって、建物全体のロビーかと思った。しかしそれは、私たちが滞在する部屋の一部だった。お城に行ったときにしか見かけないようなこんな部屋が、個人の所有するアパート

の一部だとは、信じられなかった。

5

これは一九九五年、ジュネーヴの近現代美術館で。アンダース・エドストロームがこの写真を撮った。私の記憶のなかでも、最も楽しい美術館訪問の一つがこれだ。この写真に写っている美術館の一部は、一人の美術収集家の家を再現したもの。彼が持っていた家具やコンセプチュアルアート作品が置かれている。美術館のなかに誰かのアパートがあって、そこにいるということ。そしてそのとき、たくさんの友達が一緒にいたということ。そのすべてがとても楽しい経験を与えてくれた。左から右へ、バーナード・ジョスタン、ジェフ・ライアン、私、クリストフ・ブランケル、ニコラス・チャイキン。

6

一九九四年二月、日曜日のお昼ごろ。私はまだ眠っていた。電話が鳴ったので、受話器をとった。ソニック・ユースのリー・ラ

ナルドからだった。最初、私は夢を見ているのかと思った。彼の言っていることを理解するまで、しばらくかかった。彼は前日、私がキュレーションに参加したパリ市立近代美術館の「L'Hiver de L'Amour」展に足を運んだのだが、とても気に入ったので、私に会いたいのだという。ショックだった。私はかつても今も、ソニック・ユースのファン。約束をとりつけた直後、私はヒステリックな電話をオリヴィエにかけて「誰が電話してきたと思う?」と話していた。そのときから、リーと友達になった。

7

私と一緒にいるのは、ピエール・ルギヨン。アーティストで美術評論家でもある。彼は『Purple』と、新しい私の新聞『HÉLÈNE』にも参加している。これはたぶん一九九八年で、「カオールの春」のときだ。カオールは南仏の小さな町。ここで町をあげて、大きなアートフェスティバルが行なわれていた。その年は、アメリカ人のアーティスト、ダグ・エイケンをはじめ、日本人アーティストの島袋道浩などが参加していたほか、ルー・リードが写真を発表していた。

8

私と一緒にいるのは、二〇〇〇年まで『Purple』の二代目のアートディレクターだった、クリストフ・ブランケルと猫のカービル。この猫は『Purple』の事務所の隣の建物に住んでおり、毎日事務所に来ていた。クリストフと仕事をするのは、特別な体験だった。彼は私の知るかぎり、最も愉快な人だ。最初はコンピュータの使い方をほとんど知らなくてかなりアナーキーな仕事をしていたが、次第に真剣になっていった。今はもう『Purple』の仕事はしていないけれど、『HÉLÈNE』のアートディレクションをする。

9

一九九五年八月、コペンハーゲン。写真にいるのは、イタリア人アーティストのマウリツィオ・カテランと、ニューヨークの劇作家ジュディー・エルカン。私たちが企画した展覧会「Beige」の会場だ。私たちはコペンハーゲンで一〇日間過ごしたけれど、とても快適だった。マウリツィオが、いつも私たちを楽しませた。彼は自転車を盗み、それを解体して飛行機に乗せて持ち帰った。彼がしたことをとても恥ずかしく思ったが、笑ってしまったのも

事実だった。

10

数日前、私たちは二本の映画を『Purple』の事務所で上映した。一〇周年記念の映画会だった。一本はレティシア・ベナによるもの。もう一本はセバスチャン・ジャマンがこの一〇周年記念のために『Purple』について撮り下ろしたもの。私は上映会の直前、とてもナーヴァスになっていた。映画がどんな反応を呼ぶか、心配していたのだ。レティシアの映画が上映されているあいだ、私は彼女と一緒に裏の部屋にいて、窓ごしに映像を見ていた。セバスチャンの上映中も、同じようにした。彼は二日間編集作業で徹夜していたので、ことのほか神経質になっていた。作品を見せることに対しても、とても緊張していたのだ。上映後はどちらの映画も反応がとてもよく、二人ともハッピーになったので、私も喜んだ。上映中の時間を、彼らとそれぞれ二人きりで過ごしたことも、幸せだった。

17

リタとリジーの訪問

一週間前、〈アルミヌ・レッシュ・ギャラリー〉でリタ・アッカーマンの展覧会があった。リタと彼女が一緒にエンジェルブラッドというバンドをやっているリジー・ボウガツォスが、ニューヨークからやってきた。

ギャラリーに入って、まず私の目をひいたのが、リタとリジーの姿だった。アートよりも先に彼女たち自身に目がいった。二人のすばらしいルックス。ブロンドの髪を頭のてっぺんでポニーテールにして、小さな花模様のトップを来たリタは、ロックの天使みたいだった。一方、ラブ&ロケッツのTシャツに半分やぶけた古いタキシード、黒いパンツにハイヒールのリジーは、パンクロック風のいかれた格好。どちらの女性も、とても美しい。リタの展覧会は「Evils」と名づけられていた。絵画作品のインスピレーションは、ゴシックとデスメタル風な美意識の、古い宗教画からきている。また壁の一部を黒く塗り、ギャラリーのドアと壁に大きなドローイングを施していた。私はこの展覧会が気に入った。

オープニングのあと、私たちは画廊のオーナーのアパートで、ディナーをした。画廊主の夫は、ベルナール・ピカソ。ピカソの孫にあたる。夫妻はどちらも良い人だった。ベルナールはギャラリーが集まるルイーズ・ワイス通りに、アート関係の書店を開いたばかり。アパートはパリの高級住宅街、一六区にあった。ピカソの絵と

現代アートが壁にかかった居間は圧巻だった。リタとリジーは感激して、その部屋で自分たちの写真を撮っていた。私たちの一行は、オリヴィエとレティシア、セバスチャンとアンテック・ウォークザック。メディ・ベラ・カセムが遅れてくることになっていたので、ディナーを食べながら待っていた。来客を告げるベルが鳴ったとき、私たちはメディが来たと思った。けれども入ってきたのは有名な政治家、もとフランス大統領だったので、あまりのギャップにみんなで大笑いしてしまった。メディもすぐ、あとからやってきた。

クスクスとワインの夕食のあと、私たちは居間に行ってダンスをはじめた。すぐれたＤＪでもあるセバスチャンが、マイケル・ジャクソンの「ビート・イット」をかけた。みんなで踊って、とても楽しんだ。そのあとリジーが、ボブ・ディランをかけた。ここまで書くのを忘れていたけれど、この場所にはもう一つの、同年代のグループがいたのだ。ここで、音楽をめぐる喧嘩がはじまった。この種の人々は、二〇〇三年のパーティーで、マイケル・ジャクソンやボブ・ディランで楽しく踊ることができるということがまったく理解できないのだと思う。テクノか悪質なポップにしか興味がないのだ。彼らは私たちを目撃し、理解できずにいた……クールなニューヨークのアーティストと『Purple』御一行が、この音楽で楽しく踊っているということを。彼らにとって、ヒップであるということは、出たばかりのＣＤ、三ヶ月後には流行遅れになってしまう音楽を聴くことなのだ。彼らのうちの二人はとてもひどいフランスの雑誌

『Crash』の編集者だった。その仲間の一人がかけたＣＤは、ヴェルヴェット・アンダーグラウンドのカヴァーだったけれど最悪で、オリジナルへの侮辱だった。

最近、気がついたことがある。このような凡庸な時代には、今つくられているくだらない音楽を聴くより、ボブ・ディランを聴くほうが破壊的なのだ。あの日、パーティーが終わるまで、どちらのグループも互いに敵意をもって相手を眺めていた。でもステレオの近くに陣取って、そこを支配したのは私たちだった。というのも、心底悪い音楽と闘おうとしていたのは私たちであって、彼らではなかったからだ。私たちが見たり、聴いたりしたくない質の悪いイメージや悪い音楽に抵抗することは、非常に重要であるばかりか、政治的な行為ですらあるのだ。

もう一つ気がついたこと。この二一世紀初頭のようにあまりクリエイティブではない時代、大して面白くない時代に生きていると、今手に入るものより、過去にさかのぼるほうがずっと良いのだ。そうしなければ、私たちの思考や趣味は、時代のそれと同じくらい、凡庸でつまらないものになってしまうから。

オープニングとディナーの翌日、リタとリジーはエンジェルブラッドのライブを、パープル・インスティテュートで行なった。彼女たちはインスタレーションに、オリヴィエのバイクを使った。バイクのほかには、たくさんの小さな写真プリントとコーヒー豆、肉屋で買ってきた牛の頭を床に散らしていた。巨大な料理包丁、白いソファー、キャンドル、鞭も並んだ。私が覚えているのはこれくらい。自分たちのＣＤをかけて、その音の上でさけんだり、歌ったりする。リタはバイクの上で横になり、ハイパーセクシーだった。パフォーマンスは三〇分ぐらいだったけれど、そのあいだに服を換えた。彼らは動いて、踊って、いろんな意味をこめたあらゆる動きをした。その結果、とても見ていて楽しいものになった。音楽的には、完全な成功とは言えなかったけれども。

18 バック・トゥ・ブラジル

この日記でブラジルのことを書くのは二度目だ。今年の一月、友人の映像作家セバスチャン・ジャマンと一緒にリオへ行った。私の新しい新聞『HÉLÈNE』で、この街について八ページの特集をするのだ。私はこの原稿の執筆に、セバスチャンに参加してもらった。お互いに、一段落ずつ書いた。誰がどこを書いたか、それはわからなくてもいいと思う。

到着後、数日経った月曜日。この日は祭日だった。リオの聖人である聖セバスチャンの日だから。気温は三五度くらいあり、とても暑かった。日が沈んだ五時頃、イパネマビーチに行った。水があまりきれいとはいえなかったので、少しだけ泳いだけれど、ほとんど人を眺めていた。

ミニ・ディスク・レコーダーを持参していた。一日の終わりのイパネマビーチには、とてもスペシャルな雰囲気があると聞いていたからだ。太陽が沈んで、山のむこうの闇に消えていくとき、人々は拍手喝采して盛り上がる。隣ではバンドが演奏の準備をはじめていた。

カイピリーニャ（カサーシャとライムとブラウンシュガー）を飲んで、少し酔う。魔法にかかったような気分だ。人々の話し声でざわめき、街灯がついて、太陽はもう見えないが空はまだ明るい。雨が降ってきた。まだそこにいたかったけれど、友達がディナーを準備していたので、行かなければならない。遠くに駐車してある車のもとへ、カイピリーニャのグラスを持って歩いた。暖かく、トロピカルで、美しく、強い雨が降っていた。

海岸を離れたすぐあと、どしゃぶりの雨のなかで、自分に話しかけようとしてきた二人のすてきな女性のことを考えていた。自分がポルトガル語を一言も話せないことに苛立つ。帰り道、雨のなかで、リオを通りすぎた。後部座席ではデジタルカメラをもったオーストリア人デザイナーのロバートが、美しいブラジルの少女の写真を撮っていた。彼は毎回、今撮った写真を消すべきかどうか、彼女に聞いている。六〇年代だったら良かったのに……。

別の日。美術館〈インスティテュート・モレイラ・サレス〉を訪ねた。とても美しい、白いモダニズム建築で、庭は偉大なランドスケープ・デザイナーのロバート・ブール・マルクスがデザインしている。いろいろな植物の色とテクスチャーを駆使して、庭の表情が演出されていた。ブリュッセルのギャラリスト、ヤン・モットが一緒にいた。彼はなぜか私たちと同時に、リオに居合せたのだ。外の気温は四〇度近くあったので、空調のきいたこの大きな建物のなかに居られたのはすばらしいことだった。ここでやっていた展覧会は面白くなかったが、建築を体験するだけで充分だったので、気にならなかった。

暖かい夜、街のどこにも人があふれていた。労働組合が組織しているストリートのダンス・コンテストが面白かった。

デニーシ・ミルフォンが叫んでいる、声をかぎりに。

彼女は部屋中を気が狂ったように動き回る。でもこれはリハーサルで、彼女は演技しているのだ。私たちが泊まっている部屋の持ち主、デニーシ・ミルフォンは女優だ。

滞在中、ほとんど毎日雨が降った。ある晩、あまりの雨量にリオは停電した。でも月がとても明るかったので、暗すぎることはなかった。雨のなか、プールで泳ぐことにした。一一時から真夜中まで、一時間プールにいた。

若い映画作家、エリキ・ホーシャに会った。彼の父親は、有名なブラジル人映画監督のグラウベル・ホーシャだ。彼は、歌手のエルザ・ソアレスのショーがすごかったという話をしたので、私たちも行ってみた。七二歳の女性が、一〇代の少女のように歌っている様子を、誰か想像できるだろうか。私たちが見たのは、そんな舞台だった。

今回、最も気に入ったレストランは〈Bar Luiz〉だった。一八八七年に建てられてから現在まで、デザインが変わっていない。そこで食事をするのは、ビジネスマンが多い。料理はフランスとドイツの中間をいく一般的なヨーロピアンスタイルだが、ヨーロッパで食べる食事よりおいしい。そして、とびきりのスタウトビールを出す。

金曜日の夜。週末までずっと仕事はない。カフェにはたくさん人が

出ていて、いつまでも家に帰りそうにない。こういう活気に満ちた空気は、ほかの場所で感じたことはなかった。ニューヨークや東京の通りのように混み合っていないし、ストレスもない。いきいきとして、人生の幸せと喜びにあふれている。私はいつまでもここにいたい。

19

新たな人生

今月、私は三つのことを生まれてはじめてやってみた。パリの路上でポスターを貼ること。道で通りすがりの人に新聞を売ること。そして、政治集会に参加すること。どれも私の新聞『HÉLÈNE』のためだ。とても楽しかった。

『HÉLÈNE』の内容は、政治的なところもある。これを見知らぬ多くの人に読んでほしいと思っている。アート界やファッション界の人々、ヒップな人たちとかではなく。新しい新聞をはじめるときは、流通がとても大変だ。パリはそれほど大きな街ではないので、いろんな地域にポスターを貼って回ったらどうだろう、と私は考えた。ちょうどアーティストの友人、マリナ・ファウストが大きなボルボを持っていた（今回のスチル写真は彼女が撮影したビデオからのもの）。私たちはバケツと、壁紙用の糊と、ブラシを買った。友達のセバスチャンもついて来た。セバスチャンが糊を塗り、私がポスターを貼る。パリの五区と六区、そして一四区でやった。違法行為なので、あたりに警察がいないかどうか、見張っていた。私たちが貼ったあと、上からほかのポスターが貼られてしまったため、一日だけで消えてしまったものも何枚かあったが、無事だったものもある。数日後、自分た

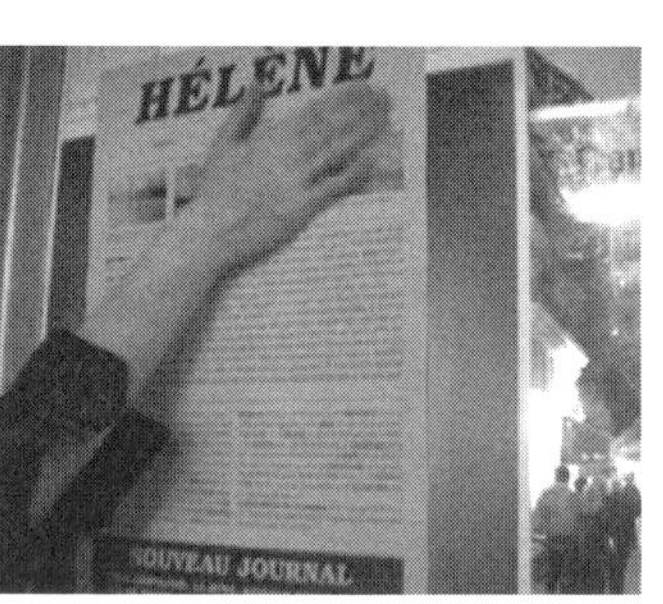

ちが貼ったポスターを何枚か見かけて、とても満足した。この作業はとても楽しかったので、続けていきたいと思っている。明日と明後日は、一一区のバスティーユとベルヴィルのあいだと、三区と四区のあいだのマレ地区に貼りに行こうと思っている。

同じ理由から、『HÉLÈNE』を路上で売るのがいいと考えた。先週パリでは、知識人たちにとって年一回の大きな催しのブックフェアがあった。二人の友人と出かけていった。まず地下鉄とブックフェアの会場の外に、ポスターを数枚貼った。そのあと、私たちは三人バラバラになって、フェアの出口で『HÉLÈNE』を抱えて叫んだのだ。「エレーヌ、新しい新聞、第一号！」「エレーヌ、新しい新聞、政治的で詩的！」。私たちは一時間で、二五部販売した。持ってきた全部を売り尽くしたのだ。たくさんの人に、『HÉLÈNE』とは何か、どうして題名が「エレーヌ」なのか、と質問された。買った人の数よりずっと多くの人に、この名前は記憶されたと思う。新

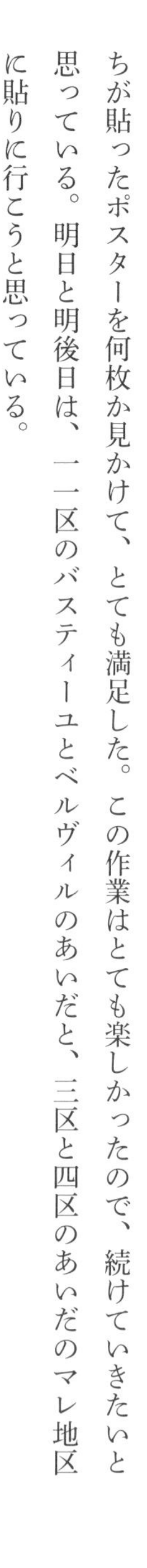

聞にしてはとても珍しい名前だから。女性向けの雑誌には、女の人の名前をつけたものが多い。『マリ・クレール』とか、『ジェーン』とか。でも、新聞ではありえなかったのだ。『HÉLÈNE』が人々に強い印象を残したのは確かだったようで、友人はあとから「エレーヌはコカ・コーラよりいい名前だ」と言った。

日曜日、政治集会に出かけてきた。どこかの党派によるものではなく、独立した組織体が企画したものだ。この組織の創設者には、フランス人哲学者のアラン・バディウと人類学者のシルヴァン・ラザリュス、作家のナターシャ・ミチェルがいた。私はアラン・バディウが主宰した集まりに、何度か出かけたことがある。哲学はよく知らないけれど、用語がシンプルであるかぎり、とても興味がある。アラン・バディウはフランスで今起こっていることについてたくさん語った。フランス政府とイラクでの戦争について、哲学的視点から。彼の発言は、いつも私を考えさせ、視野を開いてくれる。彼の状況分析に私は深く同調する。この集会でいいと思ったのは、

イラクでの戦争にふれたとき、発言者が男女半々だったこと、そしてアフリカ移民の人々が招かれていて、現在の状況についてどう思うかを、自分たちの言葉で述べたことだった。集会はおしつけがましくなく、過激すぎず、愚かでもなかった。彼らは政府に荷担したくないので、政党は結成しない。特定の事柄について、個人の意見に基づいて行動したいだけなのだ。これまでに彼らは政府に対し、移民の滞在許可証について大きな論戦を繰り広げてきた。ここで働き、税金を払っているにもかかわらず、人種差別主義者たちを喜ばせるためだけに存在するフランスの厳しい法律のせいで、滞在許可を得られない人たちのために。

これらの新しい活動は、私を変えるかもしれないと思う。新たな人生が待っている気がする。とても楽しみだ。

video-still: Marina Faust

20

東京の幸せ、長崎の悲しみ

六回目の東京。〈trees are so special〉という場所で展覧会をやるために、私は四月に来日した。ディレクターの千葉慎二さんが、私とレティシアの展覧会を企画し、招待してくれたのだ。レティシアとはとても親しく、よく話をするし、一緒に旅行することも多い。けれども、二人で展覧会をしたことはないから、これは新しい経験だった。私たちが考えたのは、二人の人間が一緒に展覧会をするには、二つの方法があるということ。一つは、それぞれが自分らしさを強く訴え、二つの個性の違いを見せる方法。もう一つは私たちが選んだやり方で、二つの個性を混ぜ合わせ、作品もミックスすることによって第三の作品にすること。私のものでもなく彼女のものでもなく、別の世界をつくろうと考えたのだった。だから、彼女の写真も私の写真も二人でセレクトして、どんな雰囲気にしたいかを一緒に決めた。私たちの感性はとても近いので、この作業はとてもスムーズに、簡単に進んだ。

映像も一緒につくった。私はスーパー8のカメラを持って、南仏とブラジルで撮影した。自分が撮ったものを見ずに、そのフィルムをレティシアに渡して、彼女はそれを編集した。何も話し合わなかった。編集が終わってはじめて、一回だけ映像を見た。これはとても面白い体験だった。レティシアは他人の撮ったイメージを使って

作業するのが好きだし、私は誰かが自分の作品を使って作業したものを見るのが好きだから。そして彼女はすばらしいフィルムをつくった。二日前、この映像を見た友人が、感動的だったと言ってきたので、とても幸せになった。こういうやり方で、もっとフィルムをつくっていきたいと思う。私たちはセバスチャンにも、展覧会への参加を促した。彼がつくった『Purple』一〇周年映画を、展覧会で流したいと思ったのだ。彼は私の写真とレティシアの写真、そして彼の写真を使ったスライドショーも行なった。スライドショーのサウンドトラックも、彼がつくった。

ギャラリーの千葉さん、晴香さん、ヨーヨーさんは、オープニングの日が私の誕生日であることを知っていて、オープニングパーティーにケーキとロウソクを用意し、誕生日会にしてくれた。一八歳の誕生日を最後に、私はケーキのロウソクを吹き消すという行為をしていなかった。祖母の家にたくさんの人が集まり、プレゼントを山のようにもらった子ども時代の誕生日を思い出していた。

今回も、たくさんの素敵なプレゼントが集まってきた。なかには、私が全然知らない人がくれたものもある。すばらしい夜だった。

東京に滞在中、鎌倉にも行った。鎌倉は二回目だが、はじめてのときのように、美しい体験になった。きれいに晴れた一日。私たちは寺に行き、大仏を見た。すばらしい光がさしていた。そして私たちは竹庭に行った。そのころにはもう日が傾いていて、おかげでよけい美しい景色になっていた。私たちの近くまで、筍を採りに来た人がいた。そして一五分後、私たちはすばらしい景色を眺めながら、採れたての筍を使った筍そばを食べていたのだ。夢のようだった。

東京のあと、私たちは『HÉLÈNE』の取材のために長崎に行った。毎回八ページで、一つの都市を取り上げる企画だ。一号目はリオを取り上げ、二号目は長崎にすることにしていた。アメリカが戦争をしかけ、世界を支配しようとしているときに、アメリカの戦略によって苦しめられた都市を訪ねることが重要だと思ったのだ。アメリカの過去の行ないを、忘れないことが大事だと。出発前は、その街でかつて起きたことを想像するのは難しいかもしれない、と考えていた。しかし、実際は違った。そこについたとたん、空気にふさぎこんでしまった。天気が悪く、ずっと雨で、霧がたちこめていた。低く白い空。こ

の気候が私たちの気分を大きく左右したと思う。原爆資料館を訪ねたあと、私たち全員はとても悲しくなり、具合が悪くなりそうだった。その後私たちは、皆が違う体験をするように、別行動をとることにした。私は予定を立てたくなかったので、偶然にまかせて歩いた。辿りついたのは大学で、学生たちがコンサートをしようとしていた。なかに入ってもいいか尋ねると、どうぞ、と言われた。彼らは突然白人（＝日本人ではない）女性に出会って、ほんとうに驚いているような感じだった。そこには少ししかいなかった。音楽はあまり良くなかったから。また歩き続けると、神社に辿りついた。手前に大きな楠の木が二本、はえている。解説によると、一九四五年八月九日の原爆のあと、その木は枯れたものと思われていたらしい。葉が落ちて、幹は二つに引き裂かれていたから。でも、木は蘇った。垂直に成長するかわりに、水平に枝を伸ばしたのだ。この美しい木は、生命力の象徴とされている。最悪の事態が通りすぎたあと、生命はいつも戻ってくる。そのあと再び偶然の導きで、ユダヤ人墓地に辿りつい

た。私にはユダヤ人の血が半分流れている。長崎までやってきて、ユダヤ人墓地にいるのは、とても不思議だった。埋葬されていたのはたった五人で、一九〇七年から一九二二年のあいだに亡くなった人々だった。原爆記念館で見た、人々の苦しむイメージに重ねて、この墓地を発見したことで、私はとても感情的になり、墓地で泣いてしまった。そのあと、みんなに会いに戻ったときも、私はこの体験を語ることができなかった。

翌日はセバスチャンと三菱の造船所に沿って八キロ歩いた。とてつもなく大きな場所だったので、なかなかの見物だった。前日同様、雨が降っていて霧があり、空は低かった。東京に帰る飛行機でレティシアは気分が悪くなり、私はモノレールで具合が悪くなった。感受性の強い人間には、こういう旅はこたえる。パリに戻ってからの一〇日間、私は落ち込んでいた。一九四五年八月九日、長崎に起こったことしか考えられなかった。こういう思いとともに生きるのは辛いことだけれど、楠の木と同じで、いつか人生と幸せは蘇ってくる。今、私は元気になって、『HELÈNE』と『Purple』の仕事にかかっている。東京の展覧会にはとても満足している。そして、長崎の思い出は私の心のなかに、いつまでも残るだろう。

21

即興

何を書いたらいいかわからない。『流行通信』のジュンが、私のテキストを待っている。私の親しい友人で、この日記を翻訳しているナカコも同じ。彼女からきたメールに、返事が書けないでいる。もう二日間、締め切りを過ぎていて、何と言っていいかわからない。今日は五月三〇日。パリで一番お気に入りの中国風ティールーム、〈T'cha〉でのランチを食べ終えたところだ。私はここにほぼ毎週行っている。今日食べたのは、海藻サラダと、しょうゆと生姜、ニンニクをトッピングした豆腐。この店の食事はとてもおいしい。

この原稿以外にも、『HÉLÈNE』の原稿をやらなければならない。こちらも遅れている。一週間後に入稿しなければいけないのに、まだテキストは全部揃っていないし、レイアウトもはじまっていない。だから私は三日間、一人きりになることにした。ボーイフレンドとも会わず、友達とも会わず、一切約束はなし、仕事もなし(『HÉLÈNE』の編集は仕事だと思っていない)。一人でパリを歩き回り、カフェで休んで、読書をする。私にとってはこれが、執筆へのインスピレーションを得られる唯一の方法なのだ。今朝は九時に起きて、アパートを一二時半に出た。決めていたのは、〈T'cha〉でランチタイムをはずして昼食をとる、ということだけ。静かな空気を求めていたのだ。店には二時半に着いた。

三時一五分。

デザートに、ジンジャークッキーを食べようかどうか悩んでいる。最近、ちょっとお腹が出てきたと思うので、体重に気をつけているのだ。今、注文をしたところ。やっぱりおいしい。

この日記は、私に書く訓練をさせてくれた。これをはじめる前は、あまり文章を書く人間ではなかったのだ。でも今はたくさん書くようになった。ほとんどは『HÉLÈNE』のためだけれど、これからは本を書きたいとも考えている。旅日記のようなものを。それは、かつて旅した場所への旅、私の人生や家族についての記憶への旅でもあるような文章になるだろう。写真も入れたい。

三時半になった。

『流行通信』はファッション誌なので、着ているものについて書こうと思う。黒い靴はCosmic Wonder。このあいだの東京旅行で、デザイナーの前田征紀が、私の誕生日にくれたものだ。この靴はとても気に入っている。毎日履きたいくらいだが、そうすると早く傷

むのではないかと心配だ。だから履くのは、一週間に一回か二回にしている。黒い靴下は、東京で買ったもの。そういうものはたくさんあるけれど、靴下も質はパリのものより東京のもののほうが良いと思う。A.P.C.のライトグレーのジーンズ。Martin Margielaの黒いシースルーTシャツ（小さな穴がたくさんあいている）。袖なしで、この下に私は鎌倉の一〇〇円ショップで買ったカーキのタンクトップを着ている。マルジェラでは黒いサテンのジャケットも買ったのだけれど、今日は二八度と暑いので、着ていない。バッグは水色と白の縦縞に、日本語のロゴ入りトートバッグ。裏地は朱色で、とても美しい。装＋のものだ。私はこれを、渋谷の東急デパートの和装売り場で買った。そこには伝統的な着物をモダンにアレンジしたものが、たくさん並んでいた。このあいだ東京に行ったとき、この装＋の売り場が大好きになった。店ごと買いたいと思ったくらいだ。でもあとから、フランス人がパリでこういう格好をするのは難しいだろうと悟った。たとえば私は草履を買ったのだけれど、家でしか履いていない。今日の格好はとても気に入っているけれど、私にとっては珍しいことだ。自分で組み合わせた格好を気に入ったためしは、普段の生活ではほとんどない。その日、何を着ていくかを考えるエネルギーをもちあわせていないことのほうが多いのだ。すてきな服はたくさん持っているけれど、いつも着るのは同じ服。私は洗練された服を着ても、あまり快適に感じない。そんな服もクローゼットにはたくさん眠っているのだけれど、ほんとうにたまにしか着ない。最近ではもう、新しい服はほとんど買わなくなって

しまった。これから一〇年は、服を買う必要はないだろうという気がする。

私のテーブルの隣に、二人のドイツ人女性がいる。そこから聞こえてくる会話が心地よい。ドイツ語を聞いてそう思うことは、めったにない。きっとアクセントによるのだろう。彼女たちは低い声で話しているので、それがいいのだ。時としてドイツ語は、信じられないほどアグレッシブな言語になる。

今持っている本は、ヘンリー・デイヴィッド・ソロー。一九世紀アメリカの思想家で、とても興味深い。自然について思考し、たくさん執筆をした人物だが、人間と人間の行ないについての彼の考察はとても自由だ。さあ、読書に戻っていこう。『HÉLÈNE』のテキスト執筆へのインスピレーションを得るために。

今までの連載のなかで、これがもしかすると唯一、本物の日記といえるかもしれない。完全に即興だから。

22

ブリュッセル、ボリス、等々

『HÉLÈNE』の次号で特集する都市を、ブリュッセルに決めた。これまでにとりあげたのは、リオデジャネイロと長崎。原爆という歴史を背負った長崎を特集することはつらい体験だったので、その次にくる都市は、もう少し普通な街のほうがいいと思ったのだ。

ブリュッセルへは、しばしば小旅行で行っている。陽気で、とても雰囲気のいい街だ。パリからタリスで、たったの一時間半。しかし、フランスとは別の国だ。北ヨーロッパの風土を強く感じる。

ブリュッセルを選んだ理由は、ボリス・レーマンにもある。彼はベルギー人の実験映画監督で、ほとんどの映画をブリュッセルで撮っている。私は彼の映画が大好きだ。一〇〇本ほどの作品を撮っているが、今年の春、パリのポンピドゥ・センターで回顧上映があり、そのときに数本観た。八〇年代の作品の一つに『バベル』という映画があるが、それは六時間以上もある。そして、未完なのだ。ボリスは自分の人生と友人たちについての映画を撮る。ほとんどがドキュメンタリーで自伝的だ。私は彼の映画を通して、ブリュッセルについて、街の路地やカフェ、住人たちについて知ることができた。

ブリュッセルでは、二つの言語が話されている。フランス語とフラマン語だ。ベルギー自体が二つのコミュニ

ティーに分かれており、その首都であるブリュッセルも同様なのだ。このことはとてもよく取り上げられる問題だ。言語が、政治が、二つに分かれていることは、さまざまな混乱を引き起こすから。しかし、それがかえって興味深い現象であることもまた、多くの人が賛同する事実である。二つのコミュニティー以外の住人としては、モロッコからの移民が多数を占めるアラブ・コミュニティーに属する人たちと、ＥＵ諸国から集まってきた各国の職員たちもいる。

ボリスとは、たくさんの時間を一緒に過ごした。まず、彼の編集室で会った。彼の映画は16ミリで、専用の16ミリ編集机を持っている。そこで私たちに、今撮り下ろしている『フランス旅行』のラッシュを数本見せてくれた。数週間前に撮られたばかりのイメージは、とても美しかった。フランスのさまざまな地域にあるいくつかのカントリーハウスに、友人たちを訪ねて行き、撮影したものだ。ボリスの編集室は、偶然パン屋で出会った男の家のなかにある。一時、彼は編集机の置き場がなく、困っていた。この机はとても大きく、ものすごく重いものなのだ。きっと心配で、悲しそうな顔をしていたのだろう。パン屋で偶然出会った男性が「とても深刻そうですが、何かあったんですか？」と話しかけてきたという。そこでボリスが悩みを打ち明けると、彼は自分の大きな家の一室を使ったらどうか、ともちかけたのだった。パリから来た私たちはこの話を聞いてとても驚いたのだが、こちらの人たちは「ブリュッセルではありうることだよ」と言う。言い忘れていたけど、ボリスはワロン地域とも呼ばれるフランス語共同体の出身だ。ブリュッセルにはもう一人友人がいる。面白いギャラリーを経営しているヤン・モットという人物だ。彼はフランドル文化圏から来ている。ボリスはほとんどフラマン語を話さないが、ヤンはとても上手なフランス語を話す。しかし、彼らに面識はない。私の知るかぎり、ブリュッセルは世界中で、二つの公用語、二種類の言語をもつ唯一の都市である。そのせいで、ベルギー人ははっきりとしたアイデンティティーをもつことが難しいのだ。

話をボリスに戻そう。私たちはブリュッセルのなかのポルトガル人街に来ていて、ポルトガル風カフェにいた。私たちとは、ボリスと私とセバスチャン。セバスチャンはボリスと、彼の映画について真剣で知的な会話を交わそうと努力していた。ボリスはおそらく、セバスチャンが過度に知的な分析をしようとしている、と思ったのだろう。そういうときに彼は、カメラを取り出してセバスチャンの写真を撮った。おかげでセバスチャンは気が散ってしまう。同時に私も彼も、ボリ

スのそんな行為をとても面白がった。セバスチャンは時々、物事を知的に分析しすぎる癖があると私も思う。言い忘れたけれど、ボリスは映画をつくるだけでなく、写真も撮る。何百枚と。彼は出会った人間、ほとんどすべての写真を撮るのだ。はじめてパリのカフェで会ったとき、彼は私の写真を撮った。ポルトガル風カフェでは、私もボリスとセバスチャンの写真を撮っていた。セバスチャンはフィルムを撮っていた。ボリスもまた、セバスチャンと私の写真を撮る。どんな状況か、わかるでしょう?

ボリスはバス停まで私たちを送ってくれた。どこで降りたらいいかも教えてくれた。バスのなかで、私とセバスチャンはおしゃべりに夢中になり、乗客たちを眺めた。ブリュッセルは小さな街ではないと思った。まだ目的地に着いていなかったから。しかし、ある地点まで来て思い知った。そのまま乗り過ごして、乗車駅まで一周していた、ということを。ヤンとの約束に遅れてしまった……。

その晩、ヤンと郊外のカフェに出かけていった。職人のつくる、特別なビールを味わうためだ。ベルギーのビールは大抵おいしい。デュベル、ヴェデット、シメイ。でも、その店のビールは苦すぎて、私はあまり好きではなかった。セバスチャンは気に入ったのだが。その後二日間、私たちはまたボリスと会った。彼のラボに行き、小さな部屋で彼の映画を見せてもらい、イタリア料理を食べ、たくさん散歩して、蚤の市へ行き、すばらしくおいしいベルギー料理の店に行った。食べたのは、ベーコンとネギの入ったポテトサラダ。そのほかには、ダンサーのアンヌ・テレサ・ドゥ・ケースマイケルが主宰するダンス教室に行った。この時期は一週間に二回、生徒がお披露目会をする。このステージがとても面白くて、雰囲気も良かった。

今週末、私はもう一度ブリュッセルに行く。ヤン・モットのギャラリーで、『HÉLÈNE』最新号の発表と、セバスチャンの『Purple』一〇周年映画を上映するためだ。

23
夏日記

パリの夏。空気は汚れているが、天気は美しい。バケーション期間中、私はほとんどパリにいて、『Purple』と『HÉLÈNE』の準備をする。そして、ふたたびブリュッセルに数日間行く。数週間前には『HÉLÈNE』出版記念のレクチャーを、ブリュッセルのカフェ〈Walvis〉で行なった。とても美しいカフェだったので、こんな場所がパリにあったらいいのに、と思った。私は最近のパリのカフェ事情に不満がある。目新しいデザインで奇をてらったカフェやコスト兄弟が経営する一連のカフェ、〈Café Marly〉〈Café Ruc〉〈Café Beaubourg〉が大嫌いだ。こういうカフェは、フランス人のセンスの悪さを体現していると思う。ナポレオン帝国時代を象徴する、臙脂色のヴェルヴェット製肱掛椅子を見るたびに、あまりに強い過去へのノスタルジーに辟易してしまうのだ。ファッション関係者はよくこの種のカフェに行くけれど、私はこういう店より、ふつうの街角にある小さな、何の変哲もないカフェを好む。それか、古くて美しい〈Café de Flore〉。もう一つ、同じくらい古いカフェで私のお気に入りは、モンパルナス大通りにある〈Le Select〉。モンパルナス墓地に近く、地下鉄ラスパイユ駅からつづくこの一帯に、いつか住んでみたいと思っている。墓地の雰囲気が好きなので、近くに住んでも構わないと思う。

数日前にはカルティエ財団へ、ブラック・ダイスのコンサートに出かけた。今ニューヨークで話題のバンドだ。

マーク・ボスウィック、スーザン・チャンチオロ、ユタ・コータ。友達の誰もがこのバンドについて話していたので、興味津々だったのだ。彼らの音楽は、ものすごくノイジーだということも知っていた。二〇代のミュージシャン四人が現れて、ゆっくりと演奏がはじまると、音の波がだんだん大きくなっていった。エレクトロニック・ミュージックだけれど、ドラマーとギタリストもいる。ものすごく大きな音になると、あまりのパワフルさに、ジャン・ヌーヴェルが設計したガラスの建物が爆発するのではないかと恐ろしくなった。少なくとも、私の服は震えていた。胃も痛くなる。とてもフィジカルな体験だ。圧倒的にバイオレントで、そして美しい。気に入った。

この夏、パリでは政治的な事件が多い。演劇界で最も重要な祭典の一つ、アヴィニョン演劇祭がキャンセルされたことも話題だ。技師たち、俳優たち、ディレクターたちがストライキをしているのだ。そして今や、ほとんどのサマーフェスティバルが中止になった。これは、右翼で反動的な政治家たちが、演劇関係者の社会保障制度を変えようとした結果、起こった動きだ。彼らの集会に顔を出してみたけれど、とくに面白い言説はみられなかった。主な話題は組織構造のこと、次回の集会についてなどで、政治に関する議論が少なかったから。昨晩、私は友達の家でディナーをしていた。自然と話題は、政治のことになった。今私たちがすべきことは、テレビ局に行ってその夜のニュース番組をキャンセルさせるために行動することではないか、という話になった。五〇人集まれば、実現できるのではないか、と。もし実行した場合、どんな危険がふりかかってくるかについても話し合った。私はとても興味があるけれど、投獄されるのは嫌だ。だから事前に弁護士を呼んで、どんなリスクがあるかをきちんと調べるべきではないか、と提案した。自分が生まれてはじめて、政治的行為を真剣に検討していることに気がついて、とても興奮した。私はテレビが大嫌い。野蛮さと、あまりにたくさんの嘘が語られていることに、我慢ならないからだ。たとえ一五分であっても、テレビ番組の放映が中断されることを考えると、気持

ちがいい。この日一緒だった友達と再会して、この案をふたたび検討する日が待ち遠しい。九月に計画しているのだけれど……。この結果がどうなったか、後日報告したいと思う。

今日は日曜日。映画を観に行くかもしれないけれど、仕事も残っている。夜になったら、またセバスチャンと友達のマリナ・ファウストと一緒に、『HÉLÈNE』のポスターを貼りに行く。大きなボルボに乗っている彼女は、車を持っている唯一の友人だ。

この先二ヶ月間は、日記をお休みにする。友人でこの原稿を翻訳しているナカコが、赤ちゃんを産むから。私たち二人とも、産休をとることにしたのだ。

24

ペトロポリスに行きたかった理由

数年前、シュテファン・ツヴァイクの『昨日の世界』を読んだ。この読書に私は、とても衝撃を受けた。一九四一年に書かれた本で、一九世紀末のウィーンにはじまり、著者の幼少期の記憶にさかのぼる。第一次世界大戦以前や二つの大戦間のヨーロッパに溢れていた知的な雰囲気や、ユダヤ人だった著者が一九三四年にイギリスへ亡命したときのことが、よく書かれている。この本を書いた直後に彼は、ブラジルのペトロポリスに向かった。彼と彼の若い妻、ロッタは数ヶ月をこの街で過ごし、そして、自殺した。

『昨日の世界』によって私は、一九一四年以前のヨーロッパがいかに知的に輝いていたか、そして、戦争がいかにすべてを破壊したかを発見した。戦争とナチスの時代が、それによってひどく苦しめられた著者の目を通して、リアルに、ヴィヴィッドに語られている。

私の父方の祖父母は一九三三年、ナチスから逃れるためドイツを去り、フランスへ向かった。彼らもユダヤ人だった。私の父は一九三四年、パリに生まれた。その後フランスはナチスに協力したため、フランスも去らなければならなくなった。一九四一年、祖父母と父はリスボンからヨーロッパを離れ、船でブラジルに向かった。リ

オに七年間住んで、週末にはよくペトロポリスに行ったという。彼らがシュテファン・ツヴァイクの本を読んだかどうかはわからないが、とても有名な人物だったから、名前は知っていたはずだ。自殺の件はおそらく、新聞で読んだに違いない。当時八歳だったという私の父に、その死の記憶はないというが。

ペトロポリスは、山あいにある古都だと聞いていた。リオから一時間半で、少しスイスに似た景色だという。リオよりずっと気温が低く、ヨーロッパ人が好む気候らしい。

三週間前、私はふたたびリオにいた。日本の建築雑誌『X-Knowledge Home』のために、写真を撮りにきていたのだ。ペトロポリスにはずっと行ってみたいと思っていたし、一緒にいたセバスチャンも賛成してくれた。そこで日曜日、私たちはバス停に行って、ペトロポリスまでの切符を二枚買った。ブラジルの旅行手段は、ほとんどがバスなのだ。一〇分後、バスはすでにリオを出発し、郊外を走っていた。すぐに山が見え、どんどん近づいてきた。山に向かう道のりは、深い緑とひろがる景色が、とても美しい。ランチタイム前に、目的地についた。ペトロポリスは素敵な街ではない、という第一印象はまちがっていなかった。むしろ、とても醜い街だった。宮殿と公園があったという歴史的な区域も感心しなかった。私たちがヨーロッパから来ていて、古く美しい建造物に慣れてしまっているからかもしれない。二〇世紀初頭からある建物は、学校やオフィスなどに使われている。小さな運河は、汚れて悪臭がしている。すぐさま失望してしまった。ペトロポリスに対して抱いていたロマンチックなイメージは、ものの数分で消えてしまった。

幻想を捨て、シュテファン・ツヴァイクとロッタが埋葬された墓を探すことにした。棺桶の周りに人が集まっている場所を見つけた。葬儀場だ。墓地は、そう遠くないはず。

ヨーロッパや日本で、いろんな墓を訪れた。大抵は美しいと思った。けれど、ここはまったく美しくない。事務所で墓の場所を聞くと、あいまいに指を差して「あっちのほう」と言われるだけだ。指示どおり行ってみても見つからないので、もう一度事務所に戻る。ほとんどのブラジル人はとても親切なのに、ここでは丁寧に応対してもらえない。きっと観光客が自分の街にきて、自殺をした二人のユダヤ人の墓を探しているのが気に入らないのだろう。カトリックでは、自殺は罪だとされるのだ。それでも、私が強く主張した

ため、別の男の案内で、やっと二人の墓に辿り着くことができた。途中、墓の前で腐っていく犬の死体を見た。

一時間後には、ヴァルパライソ地区にあると観光客地図にのっていた、シュテファン・ツヴァイクの家を探していた。その家は、博物館にはなっていなかった。今も人が住んでいるので、外から見るだけだ。もう帰ろうと決めた頃には、この街の訪問に失望していた、と言わざるを得ない。リオ行きのバスを一時間ほど待ち、やっと乗り込むと運転手に、席は一つしかないと言われる。ショックだったけれど、どうしても帰りたい。私は、この奇妙な旅にセバスチャンを連れてきてしまって申し訳なく感じていたため、唯一の座席を彼に譲った。そして一時間半、蛇行するバスに揺られながら、自分の体をしっかり支えていた。その一日と帰りの道のりは、奇妙なことに、なかなか楽しかった。でも翌日には、風邪をひいてしまった。

25 ホテルの部屋から見た香港

オリヴィエと私は、Célineのブティックで開催される写真展の準備のため香港に行った。そこに並ぶのは女性たちのポートレート写真で、一年ほど前『リベラシオン・スタイル』用に撮られたものだ。展覧会はまず東京で行なわれ、それから香港へ巡回した。旅費をCélineが負担したため、待遇は良かった。私たちはビジネスクラスに乗り、とても豪華なホテルに泊まった。

到着

ホテルのリムジンが、空港で私たちを待っていた。車に乗り込むと運転手が、水と熱いタオルを差し出す。着いたときはもう夜だった。

ホテル

インターコンチネンタル。とてもモダンな五つ星ホテルで、香港島に面したヴィクトリアハーバーの端に建っている。ロビーに着くと、二人の女性が私たちを待っていて、エクスプレス・チェックインをするために部屋までついて来た。チェックインにはほんの数秒しかかからなかった。ホテル側から、私たちの部屋がアップグレードしたと告げられ、無料でインターコンチネンタル・クラブを使って良いと言われる。大きな、美しいリビングルームでインターネットが無料、朝食やアフタヌーンティーもとれるし、カクテルも無料。直接言われなかったけれど、アップグレードの理由は、私たちが雑誌をつくっているからかもしれない……と思った。

私の部屋

スイートに移る前の部屋はとても大きく、すばらしい眺めだった。到着した日の夜、気温は三一度。一一月なのに！　空気汚染による霧がたちこめている。窓の外には、船の灯りが見えるけれど、船そのものは見えない。香港島に建っているビルもネオンのロゴが見えるが、ビルそのものは見えない。翌日の朝になってはじめて、すべてがはっきりと見えた。あらゆる船が通過していく。小さいの、大きいの、速いもの、ゆっくりなもの、レ

ジャー船、工業船……。香港島はニューヨークのマンハッタンに似ているが、それより大きく、美しく、圧倒的だ。部屋自体については、あまり言うことがない。五つ星ホテルらしい部屋。でも、さまざまなライトによって常に変化する眺めは、びっくりするほどすばらしい。私の寝つきの悪さと時差のせいで、この部屋から日の出と日没を見ることができた。水面と空が銀色、ピンク、オレンジ、ブルー、黒、と変化するのだ。

二日後、スイートルームに移った。正直なところ、最初の部屋のほうが好きだった。イエローとグリーンからなるスイートルームの装飾は悪趣味で、好みではなかった。大きすぎる部屋はかえって自分が小さく、寂しく感じられて、不釣合いな気がした。でも息をのむような眺めは、依然としてすばらしかった。一日中、船を眺めていたいと思った。最初はこの部屋で読書や執筆をするといいと思ったのだけれど、止まることのない船の動きが面白く、かつ美しすぎるので、それは無理だと悟った。私は滞在中、たった一度もテレビをつけなかった。水面と行き交う船を眺めながら、海沿いに住むことが夢だ、と考えた。

最後の三日間、私の部屋に小さなトカゲが現れた。ホテルがとてもモダンで清潔だったので、ひどく驚いた。どうやって入ってきたのだろう？　この生物の出現を、私は喜んだ。大きな部屋に、別の生き物と一緒にいられることが嬉しく、寂しさがなぐさめられた。清掃係が始末してしまうのでは、と恐れていたけれど、その事態は起こらなかった。

インターコンチネンタル・クラブ

毎朝、ここに来てメールのやりとりをした。ウェイターたちは中国人だったけれど、アメリカ風だった。ちょうどこのホテルのように。アメリカ風というのは、「ハウ・アー・ユー・トゥデイ?」「ホワット・キャン・アイ・ゲット・ユー・トゥデイ?」などと話すということだ。このホテルにはアメリカ人が多かった。イギリス人、カナダ人も多かったけれど、日本人は少なかった。ほとんどがビジネス客のようだった。

朝食ではシュウマイとおかゆ、中国緑茶を頼んだ。食事とサービスの質は上等だったというほかない。プリンセスになった気分だった。カクテルタイムには、シャンパンを頼んだ。

ニール・ヤングとローリング・ストーンズ

ある晩ホテルにいると、とても大きな音楽が聞こえてきた。床と窓が、騒音で揺れていた。最初は騒々しい隣の客のせいだと考えたのだけれど、ニール・ヤングの歌声が聞こえてきたので、ライブをやっているのだとわかった。『サウスチャイナ・モーニング・ポスト』で、彼がバンドのクレイジー・ホースとライブをするという記事を読んでいた。窓の外を眺めると、海の向こうの香港島に照明が見えた。オリヴィエに電話をしたら、最初は信じてもらえなかったけれど、結局自分の耳で確認した。私たちはホテルを出て海の前に立ち、コンサートの最後を聴いた。真夜中の、すばらしい景色。あまりによく聴こえるのに驚いた。三キロ離れているのだ。オリヴィエは、音がビルの上部に反射してから、こちらに届いてくるのではないかと言った。とても美しい音楽だった。

　翌日の午後、部屋にいると、また大きな音を聞いた。今度はローリング・ストーンズが、夜のライブのためにサウンドチェックをしているところだった。一五分後に音楽は止み、音が聞こえていた場所からヘリコプターが飛び立つのを見た。ヘリコプターは海と船の上を飛んでいった。なかにはローリング・ストーンズが乗っていた。少なくとも、私の頭のなかではそうだった。

26 ポーランド、『Purple』、等々

ポーランド旅行

祖父はポーランド生まれだが、私はまだこの国に行ったことがなかった。昨年の春、ポーランド人の友達ができた。サイモンはドキュメンタリー映画作家で、小説家。そしてプロのランナーでもある。五二歳なのだが、同世代の選手たちと競うのだ。彼はフランスの、パリとリールのあいだに住んでいて、よくポーランドに行く。そこで今回は、私も同行することにした。彼は収入のために、副業でキャビアのディーラーをやっている。禁止されていることなのだが、ポーランドからフランスへキャビアを運んで、そこで売るのだ。客のほとんどは映画や劇場の関係者。この旅行では、私もキャビアを運ぶ手伝いをすることになった。白状すると、そのために少し神経質になっていたと思う。でも彼は、私が刑務所に行くことはないと保証した。観光はあまりしなかった。まずベルリンに向かい、サイモンと合流。彼の八〇年型の黄色いメルセデスに乗りこんで、長時間ドライブしてポーランドに向かった。午後三時に陽が落ちるから、ほとんどの時間は暗闇のなかを走っていた。ポーランドでは、おいしいウォッカとスピリッツを飲んだ。ここの人たちは、九五度のアルコールを紅茶に入れて飲む。二日目は

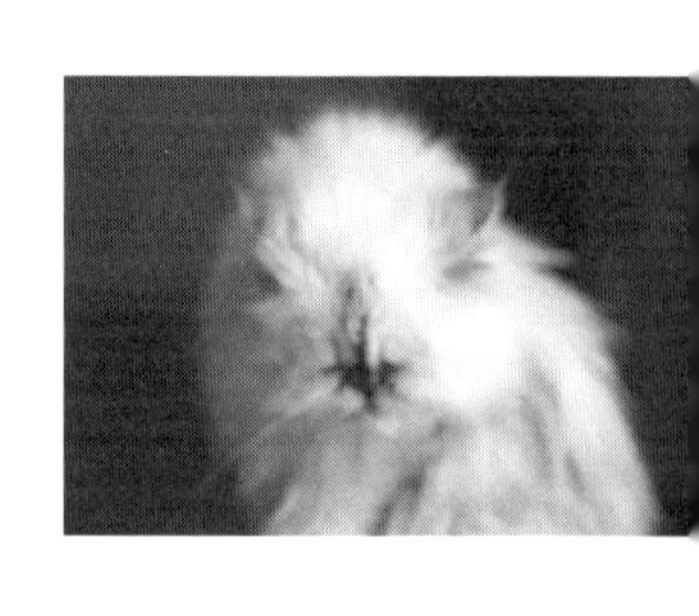

ウッチにいた。私は背中が痛くて、ベッドから起き上がれなかった。三日目はウッチからポズナンに向かい、ポズナンからベルリンへは電車で移動した。とても古いスタイルの列車で、食堂がついている。机、テーブルクロス、皿、銀器。どれも見事で、食事もおいしかった。ここは今回の旅のなかでも、私のお気に入りの部分だ。ダークブルーの制服を着たポーランドの税関職員が通りすぎ、そのあとからカーキの制服を着たドイツ人の税関職員が通りすぎた。スーツケースを開けろとは言われなかった。そこには、二〇キロのキャビアが入っていたのだけれど……。以上でこの旅は終わり。

新しい『Purple』

今『Purple』次号の仕事をしているけれど、すべてが以前と違う。一一年間雑誌を一緒にやってきた私とオリヴィエは、別々に仕事をしようと決めたからだ。私は『HÉLÈNE』や自分の仕事にかける時間も必要だ。

だから『Purple』次号はオリヴィエが一人で編集する。私はそれを少し手伝うほか、九六ページ・白黒印刷の別冊を編集する。第二の『Purple』というわけではない。私の好きな写真家の作品をたくさん集めたもので、自由で実験的なヴィジュアル・エッセイのようなものになるはず。この結果がどうなるのかはわからない。私とオリヴィエにとっても意外な驚きになるだろう。でも私たちは一一年間、常に変化し続けてきた。実験することが好きなのだ。

クリスマスと大晦日

クリスマスは、私のアパートでディナーを催した。私のように、この夜を家族と過ごさない友人や、何らかの理由で家族をもたない友人を招いたのだ。全員が何かを持って集まってきた。詩人で料理上手な友人のジェラルドは、リゾットとフォアグラを持ってきた。レティシアと私はパンとチーズを持ち寄って、サラダをつくった。ほかの友達がケーキを持ってきた。そして全員、シャンパンを持ってきたので、ずいぶんたくさんのシャンパンが集まった。でも私たちは全部、飲んでしまった。

ニューイヤーには、セバスチャンがディナーに招いてくれた。彼はとても洗練されたディナーをつくった。男が料理をするとなると、彼らはとても真剣に臨んで、凝ったものをつくりがちだ。それはともかく、とてもおいしい料理だった。そのあとでセバスチャンは、ポール・ヴァーホーヴェンの映画『ショーガール』を見せてくれた。とても面白い、良い映画だが非常に暴力的だったので、不安になってしまった。一月一日の深夜一時、一年のはじまりに見る映画としては、あまりふさわしくなかったと思う。私はちょっとがっかりした。

三匹の猫

最近、ブランシュの毛を切った。ブランシュは私がかっている小さなペルシャ猫だ。とても長い毛がはえていたけれど、舌が短いのでなめるときに苦労しているのを私が見かねて、はさみで切ることにしたのだ。カットのできは、よくなかった。彼女が不細工に見えてしまう。セバスチャンがブランシュを見てがっかりしたので、申し訳ない気分になったけれど、本人は気にしている様子がない。機嫌が悪くなったわけでもないので、猫は自分の容貌を気にしていないのだと思った。

もう二匹の猫、ジョニーとルルも元気だ。この二匹はよく同じ姿勢で、隣合わせに寝ている。大きさも同じくらいで、外見がほとんどそっくりなので、二匹いるととても不思議な感じだ。時々、朝目を覚ますと、三匹がみんなベッドに集まっていて、私は幸せな気分になる。

アパート

去年、私は引っ越しにとりつかれていた。別の地区、五区に引っ越したいと思ったのだ。今のアパートの部屋が嫌だったわけではないのだけれど、大きなサンタントワーヌ通りに近いのと、バスティーユ広場からすぐ近くなのが気に入らなかった。でも結局、引っ越しはやめにした。今の部屋のように、暖かく特別な雰囲気のある場所は見つからないとわかったから。私が住んでいるのは、一七世紀から建っている建物だ。ここに居ることに決めてからは、模様替えをしようと家具を買いはじめた。まず、イサム・ノグチの照明を手に入れた。大きいのが二つと、小さいのが一つ。すでに二つ持っていたけれど、紙が古くなって黄ばんでいたし、少し破けていたのだ。この新しい三つの照明がすべてを変えた。私は自分のアパートが楽園だと感じて、しょっちゅう花を買うようになったし、常にきれいにしようと心がけている。これ以上、他のものを買う必要はないかもしれない。あとは、入り口の部屋に小さなカーペットが一枚あればいい（私のアパートは、三間続きになっている）。

27

新生『Purple』のこと

オリヴィエと私が出会ったのは、一九八九年。五年間、恋人同士だった。九二年に雑誌『Purple』をはじめた。九四年（だと思うのだけれど……）にカップル関係は解消したが、仕事は前と同じように一緒にすることにした。雑誌づくり、展覧会、旅行など。私たちは「パープル・インスティテュート」という会社の共同出資者で、共同経営者だ。

ここ数年間、オリヴィエと私の興味は遠ざかり、違うゴールに向かうようになった。たとえば、彼は読者が増えてほしいと思っているが、私はそう思わない。彼はページ数を増やしたいが、私は増やしたくない。彼はもっとファッションを見せたいけれど、私は嫌。彼はもっともっと有名ブランドを出したいと思っているが、私はそうはしたくない。オリヴィエはファッション界のシステムに従いたいけれど、私は従いたくない。

ファッション雑誌の読者には、雑誌はもはや自由な場所ではない、ということを知っておいてほしいと思う。ブランドが、雑誌にのるべき内容をコントロールするからだ。しかしそれも、どんな雑誌なのかにもよるだろう。『Purple』は長いあいだ、自由な媒体だった。自分たちがしたいことしか、やってこなかった。そのうち、よりたくさんのお金が必要になってくるとともに、広告主がより多くを要求するようになってきた。あるブランドの

広告がほしかったら、ファッションページのなかにその服を使わなければならない、というように。最悪なのはイタリアのブランドだ。それを当然のこととして要求してくる。まるでマフィアのように。最初はこうしたやりとりに落ち込んだ。しかしそのうち、見せるイメージに自由があるなら構わないと思うようになった。写真は映画のようなものだから、イメージが美しければ、そこに出ている人が何を着ていようと、構わないではないか。同時に、興味深いことをしているファッションデザイナーの仕事はサポートするべきだ、と考えるようになった。

オリヴィエは次第に、ファッションにより強い興味をもつようになり、『Purple』を重要な商業的ファッション誌にしたい、と願うようになった。ファッションモデルを使いたいし（これまで私たちは、モデルではない普通の女性か、オルタナティブなスターを被写体にしてきたのだが）、ヘアメイクをつけたスタジオ撮影をしたいという。

九月で四〇歳になったオリヴィエは、システムに反抗し続けることに疲れたのだ。私は彼の意見も理解できるけれど、同意はしない。だから私たちは、『Purple』を二冊つくることに決めた。『Purple Fashion』（オリヴィエの『Purple』）と『The Purple Journal』（エレンの『Purple』）だ。何年も一緒に仕事をしてきたけれど、これからも続けていくには、私たちのあいだにある溝は深すぎるのだ。この変化を悲しむ人もいるが、私はそうは思わない。私たちは、とてもたくさんのことを一緒にやってきたし、それはずいぶん長いあいだ続いた。とても珍しいことではないかと思う。

三月に出る『Purple』次号では、前回書いたように、二冊の『Purple』が一緒に販売される。『The Purple Journal』ゼロ号は、すべて写真だ。でも夏に出る号からは写真と文章で構成する。文章は『HÉLÈNE』(これは廃刊にする)でもそうだったように、あらゆるテーマを扱う。話題の幅は普通の新聞と同じように広いけれど、ジャーナリストが書くものよりずっと個人的な文章だ。アーティスト、詩人、映画作家や、興味深い体験をしてそれを他人と共有したいと思っている人たちが執筆する。キューバ旅行について、子どもを産むことについて、ホームレスの人生について(以前『HÉLÈNE』にホームレスが書いた原稿をのせたことがある。ある日、道ばたで本を手にしたホームレスに出会った私が、執筆を依頼したのだ)などから、政治的な話題まで。写真はファッション写真もあるし、そうでないものもある(ポートレート、風景、七〇年代

に撮られた未発表写真など）。私の『Purple』は白黒印刷（今の私のお気に入り）で、ページ数も九六と少なめの、地味なたたずまいになるだろう。
『The Purple Journal』は、年四回の季刊。創刊となる夏号は六月にできあがる。私の『Purple』にも広告は入るけれど、私の好きないくつかのブランドだけだ。可能なかぎり、そうしていきたいと考えている。
この決断は気に入っている。私にとってもオリヴィエにとっても、より大きな自由があるからだ。人とものをつくることができるのは、二人とも同じ方向を向いているときだけだ。そうでなければ、問題やフラストレーション、口論しか残らない。
次回は、二週間後に出かけるスペインのマドリードについて書こうと思う。今の私は風邪をひいて、家を出られない（パリでは誰もが風邪をひいている）。

28
マドリードへの旅

二週間前、家庭の事情でマドリードへ行った。父の七〇歳の誕生日だったのだ。毎年二月になると、私の両親は一週間、マドリードで過ごす。父親が経営する画廊が、アートフェアに参加するからだ。これはパリやバーゼル、ケルン、シカゴ、マイアミ、ニューヨークなどであるものと同じくらい重要なアートフェアの一つだ。父の誕生日だからといって、毎年行くわけではないが、今年は例外だった。七〇歳の記念すべき年だったから。父親が七〇歳を迎えるということは、「自分はもう若くない」ことを象徴している。三五歳の私は、そう感じた。だから、私にとっても重要なイベントだったのだ。

この旅にはセバスチャンが同行した。私たちは二人とも、パリを数日間抜け出せることがとても嬉しかった。一時間半、南に向かう空の旅。私たちが後にしたパリは、寒くてグレーだった。マドリードは晴れていて、気温は一五度。

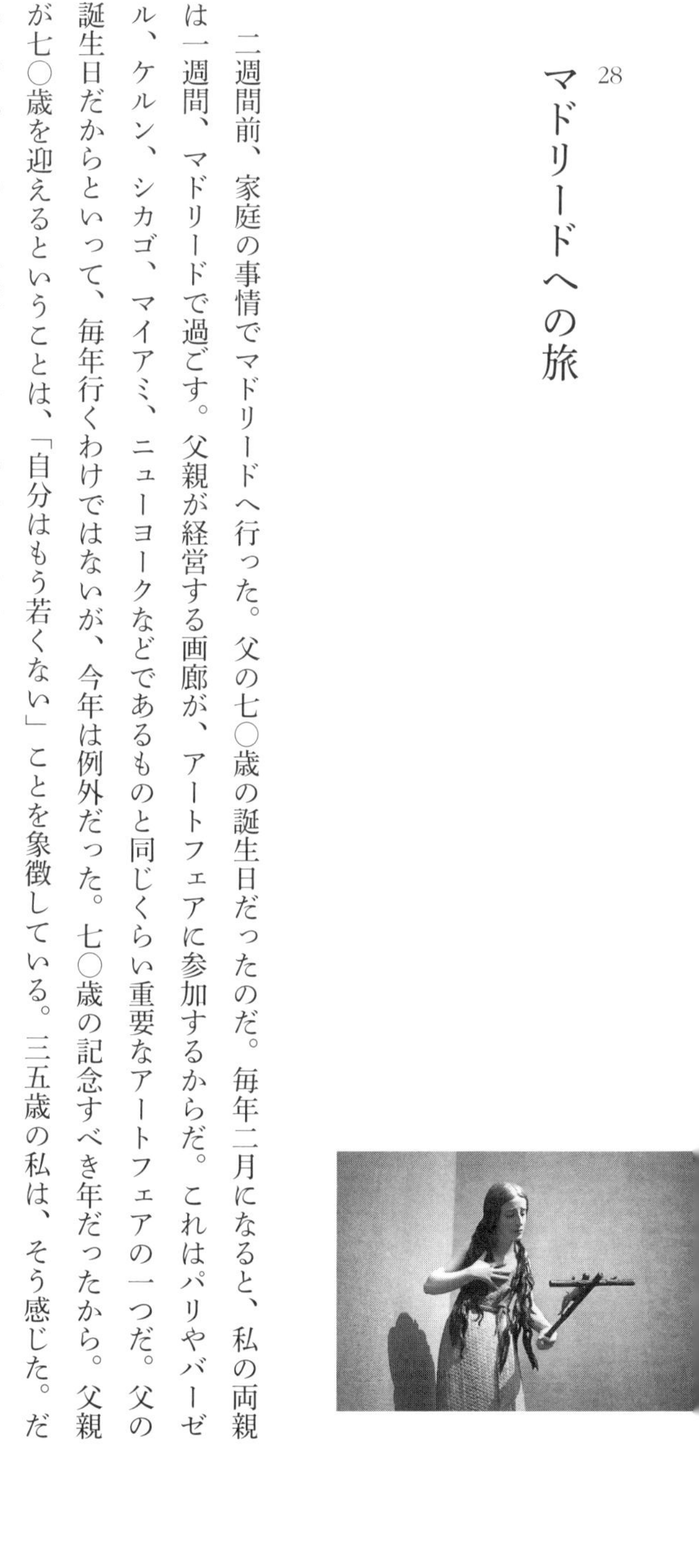

初日の夜、私たちは両親とその友人とともに、ディナーに出かけた。おいしいレストランで、いわゆるマドリードらしい店だ。たくさんの魚料理と、特殊な品種の豚肉を使ったスペイン産のイベリコハム。私は、パルマやサン・ダニエーレといったイタリア産の有名なハムよりずっと、このスペインハムが好き。スペインはワインもお

いしい。でもとても強くて、すぐに酔ってしまう。
この晩、私は飲み過ぎて、食べ過ぎた。飲み過ぎた翌朝によくあることだが、朝の五時に目が覚めた。私はまだ寝ていたかったけれど、セバスチャンを起こしてしまった。彼はすぐに外出したいと言う。再び寝るのは無理だったので、七時になって太陽が出る頃、外出の準備を整えた。私はとても機嫌が悪く、しかも疲れていたことを白状しよう。七時半に表に出たときは、自分がゾンビになった気がした。外はまだ薄暗い。私たちはバスにのった。セバスチャンが、プラド美術館へ行こうと言ったからだ。プラドはマドリードにある、大きな美術館。パリのルーヴルに匹敵する存在だ。彼はそこに、開館と同時に着きたいと言う。早く着いてしまった私たちはカフェに行き、そして駅を見に行った。植物で埋め尽くされた駅は、巨大な熱帯植物園のようだった。
八時五五分、私たちはプラド美術館の入り口に立った。九時二分、なかに入る。ほかに人はほとんどいなくて、とても素敵だった。まずゴヤを探し、そしてベラスケスを探した。美しい絵を発見した。ベラスケス、一六五六年の名作「ラス・メニーナス」。モダニティーのはじまりを告げる作品とされている。

団体客が到着しはじめた。日本人、学生、スペイン人、フランス人。私たちは、有名なボスの絵画「快楽の園」を見に行った。昔の絵画についてたくさん知っているセバスチャン（彼は昔、ルーヴル美術館で働いていた）は、この実物を見ることができて感激していた。この種の絵画をセバスチャンと見るのは楽しい。いつも何か、面白いことを言うからだ。私はアート史をよく知らない。私のアートの知識は、二〇世紀初頭のダダからはじまっているから。セバスチャンは私のことをよく「ダダの申し子」と言う。

数時間後、美術館を出ると、機嫌は最悪から好調に変わっていた。よく晴れた日だった。プラドに近い植物園へ散歩に出かけた。二月だから枯木が多かったけれど、葉の茂っていない木や植物を見るのも好きだ。午後はずっと、ディナーにむけて体調を整えるために昼寝をした。この日は、一三日の金曜日。アンラッキーな日として有名だ（迷信深い人々にとっては、だけれど）。ディナーはレストランの個室で。二〇人ほどの人が集まっていた。ほとんどが父のアート界の友人たちだ。ベルギー、ポルトガル、デンマーク、フランスなどから来たギャラリストやコレクター。父が七歳のときにブラジルで出会った最も古い友人で、今では有名な現代アートのコレクターもいた。私は、父の具合があまり良くないことに気がついていた。兄にそう伝えると、そんなことはない、と言った。何も気づいていないのだ。しかし一五分経つと、父は蒼白になった。母が父に砂糖を手渡すのを見た。彼は具合が悪く、失神しかかっていたのだ。私はパニックにはならなかった。この発作は数年前にも起きたことがある。これは心臓の問題というより、精神的なものとの関連が強い。レストランの人が医者に電話し、救急車が着いた。救急車はレストランの前に停車し、そこで父にあらゆる検査を行なった。全員が心配していて、その場は奇妙な雰囲気に包まれた。そこへ父が帰ってきた。普段の顔色に戻っていて、医者は「どこも悪くない」と宣言したので、ディナー

は再開された。数人がスピーチをしたけれど、面白いものがいくつかあった。料理がおいしかった。またしても美味なるイベリコハム。そして信じられないほどおいしく、ごく薄くスライスされた仔牛の肝臓。
翌日はソフィア王妃芸術センターを訪ねた。ピカソの絵画を多数所蔵しているアートセンターだ。セバスチャンは、ピカソのファン。私はこれまで、ピカソの絵の前で多くを感じたことがないのだけれど、今回は普段より努力してみた。でも、成果はあまりなかった。きっと感情に直接訴える絵というより、頭で楽しむ絵画なのだろう。それでも、私はピカソの最も有名な絵「ゲルニカ」には感銘を受けた。スペイン内戦について描いたものだ。アメリカ人彫刻家、アレクサンダー・カルダーの展覧会にも出かけた。二つの長い部屋が、天井からつるされたモビールの彫刻で埋まっている。黒、赤、黄色。とても美しかった。一度に多くの作品を見せる展示が効果的だった。
夜になって、ふたたび、おいしいレストランへ。たくさんの食べ物とワインのあと、夜中に起き出した私は気分が悪くなり、吐いてしまった。食べ過ぎて、飲み過ぎたことにバチが当たったのかもしれない。パリに戻った私は食欲がなく、一週間ほとんど食べなかった。自分にとって、それは驚くべき出来事だった。四六時中食べ物のことを考えず、次に何を食べようかと思い巡らせなくていいという状態は、ある意味楽しかった。ずっとそのままだといいかもしれない、と思ったけれど、一週間が過ぎると、以前と同じ私に戻っていた。おいしい食べ物を愛する私に。

29

ファッションウィーク

先シーズン、パリのファッションウィークの最中に、幸運にもブラジルに行っていた。その前のシーズンは、深刻なほどファッションに興味を失いかけていた。面白いことがほとんどなかったからだ。でも今シーズンは、ファッションに何が起こっているのか見てみたくなった。美しい服、興味深い洋服について。ファッションにおいて何が興味深くなりうるのか。そんなことを考えてみたくなったのだ。『The Purple Journal』では、ファッションがクリエイティブな世界に持ち込むべきものは何なのか、ということに焦点を当てようと思っている。私は相変わらず洋服は大好きだけど、ファッション産業が大嫌い。だから、普段「ファッション」という言葉のもとに一緒にされてしまうものを、きっぱりと分けてみることが重要なのだ。VersaceとBless、DiorとCosmic Wonderは、同じ世界にはいない。これらは二つの別世界で、私はそのうちの一つにしか興味がない。今シーズンは、好きなものがいっぱいあった。

私はファッションジャーナリストではないし、洋服を説明する文章を書くのは下手だ。だから、好きだったものと嫌いだったものについて、完璧でないレポートを書いてみたい。

Comme des Garçons

洋服もショーも大好きだった。ショーはシャンゼリゼ通りにある〈Lido〉で行なわれた。普段は観光客向けのばかげたヌードショーをやっているところで、私は一度も見に行ったことがなかった。Comme des Garçons のショーは、これまでにこの劇場で行なわれたショーのなかで最も美しいものだったに違いない。舞台はとても大きな黒い木の床で、ものものしい深紅のカーテンが下がっている。川久保玲がつくったコレクションは黒（二枚の白いシャツを除いては）。黒で、とてつもなく美しく、とてつもなくエレガントで、とてつもなくバイオレント。川久保玲とマルタン・マルジェラ、この二人だけが、私に強い感情を呼び起こす「ファッション」デザイナーだ。本を読んだり、映画を観たり音楽を聴いたときに引き起こされる強い感情。私が話しているのはアートそれ自体によってもたらされる感情のことで、アメリカ映画が煽り立てるような感情とは違う。つまり私は Comme des Garçons のショーを見て、ほとんど泣きそうになったのだ。この感情は、洋服それ自体とプレゼンテーション、そしてメーキャップによってもたらされ（赤い口紅が、唇から右側にそれて塗られていた）、バイオレンスは女性特有のもので、これも服によってもたらされたものだった。シルエットはエレガントだが、細部がそのエレガンスをかき乱す。私ははじめて、川久保玲とココ・シャネルのつながりについて考えた。服それ自体からというより、女性特有の表現力ということから。感情と表現力、これらがアートと単なる「服のデザイン」を分けているのだ。

Cosmic Wonder

彼らのベストなコレクションの一つだと思う。プレゼンテーションのために、男の子や女の子をつかって、いくつかの場面をつくり上げた。そのうちの何人かは寝ていた。寝袋、枕、毛布などもつくっていたからだ。コレクションのタイトルは「Forest Heights Lodge」。二枚の古い写真が配られた。一枚は招待状として送られ、もう一枚は会場のギャラリーの入り口で渡された。ロッジというのは海や山にある宿泊施設で、寝袋を持って泊まりにいく。旅館のアメリカ版かもしれないけれど、旅館よりカジュアルな場所だ。

覚えているのは美しいライトグリーン、プリント、パジャマのようなシェイプ（昼間に着たいようなパジャマ）。これまで見たことがないほど美しいブランケット。ブランケットは片側が緑のウールで、裏は別のファブリック。大きなスカーフとしても使える。白も覚えている。そこにあるものはみんな魅力的で、心地よく、柔らかく、穏やかそうに見えた。

Bless

洋服とアクセサリーと家具のコレクションをつくった。洋服はクラシックな形にできているが、いつも着ていたいようなものだ。美しいけれどシンプルな素材でできた、完璧な日常着。パンツ、ジャケット、スカーフ、帽子、コート、セーター。長いあいだ持っていたくて、しょっちゅう着るような服だ。もう一つの傑作は、木製のアクセサリー。彼女たちが選んだブレスレットや時計、ネックレスをアフリカに送ると、現地の人が軽い材木を彫って、その形どおりのオブジェにする。木の時計の針は動かない。これはブレスレットなのだ。とても珍しく、興味深いオブジェだ。

その他、ファッションウィークについて私が言いたい、いくつかのこと

ファーが溢れていた。これは私たちの時代の堕落を語る、非常に悪いサインだと思う。川久保玲はフェイク・ファーを使った。それはすばらしいことだ。私は動物愛護協会の運動家ではないけれど、動物が好き。子どもの頃から、ファーを見ると不快に感じていた。

ジャン＝ポール・ゴルチエのHermèsは、好みではなかった。ショーのあいだじゅう、居心地悪く感じていた。もしこれが「ファッション」なのだとしたら、私が好きなのは「ノン・ファッション」もしくは「アンチ・ファッション」だ。二つの言葉が必要だ！

Martin Margielaのコレクションは映画で上映された。映画が嘘をついていなければ、とても美しいコレクションだ。過去数シーズンよりずっと面白い。

Tim Van Steenbergenをはじめて見たけれど、好きな服がたくさんあった。おもにドレスとセーターだ。合唱隊の女の子たちに着せていて、彼女たちは古いイギリスの唄のようなものを歌っていた。

発見は、パリに住む若い日本人男性がつくっている新ブランド、ES。シェイプはとても面白いがシンプルで、グレーとコットンが多い。これからを見てみたいと思った。

Robert Normandのコレクションには、嬉しい驚きがあった。Gaspard Yurkievichとともに「パリジャン」のファッションデザイナーとして紹介される存在だ。普段は好みではないのだけれど、今シーズンはどちらも良い仕事をしていた。

私はJunya Watanabeが好きではなかった。彼はファッションのすぐれた演奏家だが、つくるものに感情が抜けている。ギターやピアノがとても上手だけれど、面白みのない空っぽな音楽をつくる音楽家に似ている。

30

四月三〇日、金曜日

朝一〇時に目が覚めた。寝坊だと思われるかもしれないが、私にしては早いほうだ。目を覚ました原因は、隣の部屋で寝ていた友人のマノン・ド・ボアーが、私の寝室の裏にあるバスルームでシャワーを使う音。マノンはオランダ出身のアーティストで、ブリュッセルに住んでいる。時々パリに来ると、私のアパートに泊まっていく。最近彼女は、七〇年代のエロティックな映画『エマニエル夫人』の役柄で有名な女優、シルヴィア・クリステルの映画を撮った。一般的な「女優」の虚像を突き崩してそのうしろにいるリアルな女性の姿を描くマノンの映画を、私はとても気に入っている。セバスチャン（彼も私の家に泊まっていた）とマノンと私は、キッチンで一緒に朝食をとった。豆乳をかけたオーガニックなシリアルと日本茶。

私たちは、近代美術館でやっているアンリ・サラの個展に出かけることにした。アンリ・サラは三〇歳のアルバニア人アーティストで、ビデオ作品をつくっている。展覧会は面白いという評判だった。今パリの近代美術館は改修中のため、六区のエコール・ド・メドゥシン通りにある旧コルドリエ会修道院に移転している。私たちは八六番のバスに乗って向かった。

最初の部屋では、夜中に道路のへりにいる馬を撮った映像が上映されていた。時々車が通りすぎると、馬は少

しナーヴァスになる。次第にカメラのフォーカスが崩れていって、完全に抽象的な映像になると、ふたたびピントが合って馬が映る。不安を誘うイメージだったけれど、この最初の部屋の作品は気に入った。二つ目の部屋では、小さなプロジェクターで、夜中に砂の上にいる蟹を撮った映像を流していた。蟹は懐中電灯で照らし出されたあと、消えていく。波の音が大きく響いている。こんなビデオ作品がたくさん続いた。どれも五分から一五分の作品だ。最後の映像はアルバニア（ヨーロッパで最も貧しい国だ）のとある街を映した、よりドキュメンタリーっぽい作品。この街の市長は画家なのだが、全市民に、家の前面に明るい色で幾何学模様を描くように強制する、という話だ。そんな光景は見たことがない。夢というより、悪夢だろう。展覧会は全体的に暗い雰囲気だった。

展覧会を出るとお昼時だったので、サンジャック通りにある私の好きな中華レストラン〈Mirama〉でラビオリのスープを食べた。そのあとマノンとセバスチャンはそれぞれの用事に向かい、私はバスで一三区に向かった。『The Purple Journal』一号に書くための場所を探しにいったのだ。今編集真っ最中の一号では、パリ特集をはさみこむ。パリのさまざまな場所の、この春のシーンを描写した文章と写真で編集している。私もいくつかのシーンを書くのだが、一三区の中華街についてはぜひやりたいと思っていた。一九九六、九七年ごろ、私はこの地域に住んでいた。活気に満ちてはいるけれど観光客がいないこのエリアを、私は愛している。お店やレストランのほとんどは中国人やベトナム人のもので、住人もほとんどが中国人かベトナム人だ。しばらく散歩したあとで、イヴリー通りにあるオランピアード駅に行った。七〇年代の高層ビルがたくさん立ち並ぶこの地域には、ショッピングモールやカフェ、レストラン、ボウリング場、寺院、保育園などがある。ほとんど一つの街なのだ。ベトナムカフェに入り、ミルク入りフローズンコーヒーとラビオリを頼んで、通りすぎる人々を眺めながら一時間ほど過ごした。ちょうど子どもが学校から帰る時間だった。アジア系コミュニティー以外に、黒人やアラブ人、インド人や白人もいる。不思議とよく調和していた。

また散歩して、中華街を出て五区に向かう。本屋に入ったけれど、私が探しているものは何もなかった。今私が読むのはロシア文学だけ。マリーナ・ツヴェターエワの散文を探しているのだ。彼女の書いたものはまだ少ししか読んでいないが、読んだものはすべて気に入っている。彼女が書く内容も、書き方もとても美しく、読んでいると泣いてしまう。古いモスクの横を通りすぎ、植物園のある方へ。次の予定は、セバスチャンと私の友人のアーティスト、マリナ・ファウストに会ってライブに行くことだった。

バスに乗ったけれどまっすぐ目的地には行かないので、途中で降りてオベルカンフ通りまでタクシーに乗った。ここは今人気のエリアで、私は嫌いな場所だ。まずセバスチャンと会う。普通のカフェが見つからないのでがっかりした。このへんにあるのはみな、趣味の悪い装飾のある、ばかげたヒップなバーばかり。ついに、それほどけばけばしくない店を見つけて入り、マティーニを頼んだ。これは気に入った。いつもならワインを頼んだところだけれど、何か違うものを試したい気分だったのだ。

ライブはフランスのロックバンド、エクスペリエンスのものだった。シンガーは私の友人で、ミシェル・クロープという。彼がディアボロガムというバンドにいた頃からの知り合いで、初期の『Purple Prose』でもインタビューしている。一九九四年にニューヨークのＰＳ１でやった「The Winter of Love」展では彼を招いてライブをしてもらったし、九八年にニューヨークの〈アレッジド・ギャラリー〉で展覧会をやったときも会場に流す音楽をつくってもらった。彼は『HÉLÈNE』に執筆したし、これから『The Purple Journal』にも書く。最近は政治的な作品が増えているが、とてもいい詩を書くのだ。ライブは小さな会場〈ヌーヴォー・カジノ〉で行なわれた。楽しかったけれど、ミシェルはあまりステージ向きではないことを確認した……。

ライブのあと、私たちはベルヴィルのルイ・ボネ通りにあるベトナム料理店〈Dong Huong〉に行った。ここはパリで最もおいしいベトナム料理の店だ。洗練されてはいないけれど料理はとても新鮮で、客層はファッションやアート関係者、ベトナム人、黒人、若者から年配まで、さまざまにミックスされていて面白い。私たちは彼らが週末にだけつくるミニ春巻きを頼んだ。とにかく、この店の春巻きを食べること！これは誰にも勧めたい。マリナは私とセバスチャンを、彼女の大きなボルボに乗せて送ってくれた。これが私の、一日の終わり。

31

台北での日々

はじめての台湾に五日間滞在した。仕事だったため、飛行機はビジネスクラスだったし、宿泊には豪華なホテルが用意されていた。フランスから香港経由で、一四時間の旅。出発する前に、数人から「台北はあまりいい街ではない」と聞いていたけれど、残念ながら私はその意見に同意しなければならない。しかし醜い街であっても、どこかしらお気に入りの場所は見つかるものだ。

まず台北を好きになれなかった理由を説明しよう。建築が醜いから。自然が抹殺されているから。街というものは、美しい建築（古いものと新しいもの）と自然とのつながりによって成立しているべきだ。自然というのは、木や鉢植え、公園などのこと。公園は美しくあるべきだし、深い考えに基づいて設計されていなければならない。一つの公園は、ほかの公園と同じではありえない。四角く切り取られた土地にはえた草と数本の木だけでは、公園とは言えないのだ。

台北には古いものが何一つない。五〇年代の建物さえ、一つもなかった。すべて取り壊されているのだ。過去が存在しない空間に私は不快感をもつ。その場所がかつても存在していたことを示す証拠を目で見ていない

と、ビデオゲームの世界に住んでいる気分になる。そんな環境に私は住んでいたくないのだ。台北ではきのこが生えるようにビルが建つようだが、育んでいるのは自然ではない。その場所の歴史や、地形を何も理解していない建築家たちが、コンピュータ上で建物を創造する。許しがたいことだ。建築家は地中に根を生やすことなく、ヴァーチャルな世界で迷子になってしまったのだろうか。最近、似たような建築をサンパウロやバーハ（リオデジャネイロ）、淺水湾（香港）などで見た。歴史へのつながりを失った、ポストモダン建築。ル・コルビュジエやオスカー・ニーマイヤー、ルイス・バラガン、リナ・ボ・バルディといった天才建築家のあとに何が起こってしまったのか、私は理解できない。

台北にいると、ヨーロッパが恋しくなった。日本では体験しなかったことだ。日本はいつまでも、歴史や伝統とつながった場所であってほしい。そう祈るばかりだ。

私が泊まったホテルは一五年前には畑だったところ、万華区にある。ホテルは世界で最も高いビル、Taipei 101のなかにあった。高い、そして醜いビル。この種の建物は、国家が経済力をみせつけるために建てられる。私は美しくないかぎり、この手のシンボルには感心しない。ニューヨークのツインタワービルは気に入っていたのだが。ツインタワーは視覚的に魅力があり、周囲の環境に溶け込んでいたと思う。

いろいろ言ったけれど、台北でもいくつか気に入ったものがある。まず、小籠包の店〈鼎泰豊（ディンタイフォン）〉、金山路と新生路のあいだの信義路に面した数階建てのレストランだ。雰囲気が良く、混んでいる。白い作業着を着た男の人たちが料理しているキッチンを覗くことができる。このレストランのために、毎日何頭の豚が殺されているのだろうか（今はその問題を考えないでおこう）。小籠包は、とてもおいしい緑の野菜とともにサーブされる。なかに肉汁が入っているので、歯で皮に小さな穴をあけて汁を味わい、そのあと酢に浸して、生姜と食べる。いつまでも、止められなくなってしまった。

レストランの裏側は、台北のなかで私が発見した、気持ちの良いエリア。木や高さの低い建物、子どもが遊び回る小さな広場、感じのいい店やカフェがある。永康街には伝統的なティーハウスがあって、そこでは中国緑茶を買った。私たちが試飲するために、老人がお茶を入れてくれた。ここで一時間過ごしたが、それでも立ち去りたくなかった。彼は高齢で、日本占領時代にも台湾に住んでいたため、日本語を話した。驚いたのは、この歴史的事実（五〇年間の占領統治）にもかかわらず、まだ彼が日本のことを好きでいるらしいこと。店に日本人が入ってくると、とても嬉しそうにしていた。

旅行中最も嬉しかったのは、楊乃文に会えたこと。彼女は真の意味でスターだと思う。明るく輝いていて、周りのどんな人とも違う。楊は台湾では有名な歌手だ。歌は数秒間しか聴いていないから何とも言えないけれど、私にとって興味深かったのは、アーティストである彼女と人間的に出会えたことだった。はっきりさせよう。時々、その人が発するフィーリングから、その人が例外的な存在だと知ることがある。スーザン・チャンチオロもスターだと言っていい。楊乃文、スーザン・チャンチオロ、マリリン・モンロー。みんなスターだ。

私はどうしても楊を写真に撮りたいと思ったけれど、すぐにそれは不可能だと理解した。彼女は喜んだのだが（驚いたことに、彼女は『Purple』を知っていた）、エージェントが云々……。そして結局、撮影は不可能に終わった。出発の前夜、楊と彼女の弟と、ナイトクラブに出かけた（なんと彼女は弟を愛しているのだ！）。彼女はシャンパンのドン・ペリニヨンを注文した。とてもおいしくてとんでもなく高価な、このシャンパンを飲むのははじめてのことだった。フランス人の私が、台北で。人生は奇妙だ。

32

クミコ

はじめてクミコを見たのは、クリス・マルケルの映画『不思議なクミコ』でのことだった。クリスはフランス人のカルト的映画監督で、『ラ・ジュテ』などの作品がある。『不思議なクミコ』は一九六四年に東京で撮影された。東京オリンピックについての映画をつくる予算を得たマルケルが、オリンピックの映画の代わりに、クミコの映画をつくったのだ。彼が偶然に出会った村岡久美子は、フランス語を話す日本人女性で、作家を志していた。この映画で私が気に入ったのは、美しい映像もさることながら、クミコという人そのもの。美しいことを話す、際立った女性だ。映画の終わりには、マルケルの質問（ほとんどが人生についての）に答えるクミコの声が録音されている。これは彼女がテープにとって彼に送り、彼が映画のサウンドトラックとして収録したものだ。彼女の答えに、私は感激した。若いのにとても勇気があり、深みがあり、そしてほかの人たちと違っているから。特筆すべきは、彼女がとても美しかった（今もだが）ということだ。

村岡久美子は一九三六年、中国の旅順（リュイシュン）で生まれた。日本軍による占領期間中、両親や姉妹とともに哈爾浜（ハルビン）に住み、すべての日本人が撤退した四六年に立ち去った。クミコはハルビンから来た日本人で、中国人やロシア人の子どもたちにまぎれて育った。そのせいもあって、日本に帰国してから難しい日々を過ごしたのだろう。それで

フランスに向かったのかもしれない。六六年から今日まで、彼女はここに住んでいる。数年前にクミコはハルビンに里帰りした。ずっと夢見ていた帰郷のおかげで、彼女は幸福になった。

クミコは作家だ。私はむしろ、詩人と言いたい（書くのは散文なのだが）。文章を書くのはフランス語で、この言葉によって彼女は作家になったのかもしれない。彼女は日本の古典の詩をフランス語に翻訳している。与謝蕪村の『春』『夏』『秋』『冬』で、出版社Editions La Délirante から四冊の本として出版した。クミコは九二年に同じ出版社から彼女の本『L'orme plus grand que la maison（家より高いニレの木）』も出版している。

出会いはこんなふうだった。クミコの娘、アナ（彼女も文章を書く）のことはよく知っていたが、母親のクミコの存在は知らなかった。マルケルの映画のことはまず友達から、「アナのお母さんについての映画なんだ」と聞かされた。そこで、アナにビデオテープを持っていないかどうか尋ねてみた。それを観たあと私は「クミコに『The Purple Journal』の原稿を書いてもらいたい」と言っていた。彼女はそれを受けて、しばらくしてから美しいテキストを送ってきた。「ほこりまみれの楽観（1936–1946）」という、子ども時代についての文章だ。これは『The Purple Journal』の秋号に、ブルーの小冊子として印刷される。

そのあとで私たちははじめて会った。最初は私の家でお茶を飲んだ（私は台北で買ってきた中国茶を入れた）。一ヶ月ほど前のことだ。それからクミコのアパートで会ったのだが、この場所を私は気に入った。とても散らかっている。詩的な、美しい散らかり方だ。壁にはあらゆる種類の書類や写真、ロシアの地図。あちこちに、たくさんの本。日本語、フランス語、ロシア語のものまで。窓からはまっすぐ、モンマルトル墓地が眺められる。大きくて美しいマロニエの木が数本立っている。墓地の上に住むことを好む人と嫌う人がいるが、私は前者だ。きっと気に入るだろう、とずっと思っている。小さなバルコニーにはいくつかの植木鉢が置かれ、緑の植物が育っている。彼女はそこに来る蟻をキャンディーで餌付けしているのだ……。クミコは、蟻においしいもの（キャンディー）をあげている唯一の人間かもしれない。

　九月にミラノで行なう展覧会のために、クミコのポートレートを映像で撮影することにした。最初、彼女はこの案に消極的だった。撮影されるのが嫌いだからだ（それは私も一緒！）。しかし、ついに彼女は了解してくれた。私と時を過ごすのが楽しいからだそうだ。その言葉は、私を幸せにした。クミコは六八歳だけれども、私の気持ちのなかでは同い年だ。実際の年齢がいくつであろうとも（二〇歳、三〇歳、三六歳、六八歳）、誰か気に入った人物に出会うと、こういう感じをもつことが多い。無駄な会話を飛び越えて、即座に共犯めいた感覚をもつのだ。

昨日はクミコのところへ昼食に行って、午後をずっと彼女と過ごした。彼女は私たちのために、おいしい昼食をつくってくれた。私は自分のスーパー8のカメラを持っていって、彼女が読書をしたり、お茶を入れたりするところを撮影した。カメラは私が愛用しているもので、八〇年代のミノルタ（スーパー8時代の最後のもの）だ。クミコがハルビンで撮影した写真もプロジェクションして、それを撮った。彼女は写真もたくさん撮る。ほとんどの写真は、旅行中に撮られたものだ。スーパー8の映像が現像されたら、クミコを私のアパートに呼んで、上映会とディナーを行なうつもりだ。

33 八月のパリ　ロシア文学

子どもの頃、八月といえば海やプールで泳ぐ月だった。今、八月といえば、パリでアウトサイダーと過ごす月。平凡ではない人生を生きている人たちと過ごす月だ（パリの住人なら、八月にはパリを出るのが普通だから）。アウトサイダーとは誰のこと？　気がふれた人々（八月には特に路上でよく出会う）、老人や孤独な人たち、そしてアーティスト。最後のグループにおいても、最近は平凡な生活に向かう傾向が強くなっている。つまり、八月には休暇でパリの外に出るということ。八月でもここに居残っているのは、とてつもなく風変わりな人間か、貧乏な人間か、もしくは寂しい人間というわけだ。

七月からパリは普段より空っぽになる。交通量が減り、街を歩く人間が減る。八月が訪れるとその差は加速を増し、街が砂漠になる。私はこの状態が大好きだ。そういえば言い忘れていたけれど、パリの居残り組以外に観光客も大勢いる。今年はとりわけ多くのアメリカ人、イタリア人、南米の人たち、東欧人、日本人や中国人に出会った。時々ふと立ち止まると、身の周りで自分だけがパリの人間だと気がつくことがある。私がこの日記を書いているのは、八月もあと数日で終わりという日。これからイタリア旅行がひかえている。パリがふたたび人

で混み合うとき（あと一、二日後なのだが）、ほとんど空っぽからいっぱいになり、平凡な生活が復活するときにパリにいなくてすむのは幸せだ。八月、パリはちょっとだけ私のもので、九月になるとまた、みんなの街に戻っていく気がする。

月の前半は、『The Purple Journal』二号の編集作業で忙しかった。この秋号（季節ごとに一冊出る）のために、私はたくさん働いた。そして、結果にとても満足している。自分がほんとうにつくりたいものに、どんどん近づいている気がする。普通のメディアが見せようとしている現実ではなく、私たちが目にしているとおりに、現実について語る雑誌。現実というのは、楽しいことばかりではない。美しくもなりうるが、同時に悲しいのだ。私はそれを見せたい。私たちが住んでいる世界についての、個人的なヴィジョンを。

仕事を終えたとき、あまりに疲れていたので、数日間は何もしなかった。ただ外を歩いているだけで、幸せだった。牢獄から抜け出してきた囚人のようだと思った。多くの人にとって、人生は牢獄のようなものだろう。私は自分が信じるプロジェクトのために、数週間ぐらいなら対処できるが、そうでなければ、自由な時間がもっともっと必要だ。読書が必要で、「これをしなければ」という義務のない状態が必要だ。

この数ヶ月間、ロシア文学ばかり読んでいる。やめられないのだ。はじまりは詩人マリーナ・ツヴェターエワの発見だった。彼女の詩はあまり読んでいないが、散文はすべて読んだ。ほとんどが小さい出版社から出ていて、本を探すのに時間がかかって大変だった。彼女の文章には、とても感激した。この発見は私にとって、マルグリット・デュラスの発見と同じくらい重要だった。それから、ワシーリー・グロスマンを読み、エヴゲーニイ・ザミャーチンを読み、オシップ・マンデリシュターム、ヨシフ・ブロツキー、ウラジミール・ナボコフ、そしてヴァルラーム・シャラーモフを読んだ。これらの作家たちを読んで、私は美しい文章を発見しただけでなく、二〇世紀前半のロシアで何が起こったかをよく知るようになった。ロシアのことを、まるで自分に起こった出来事のように感じ、その時代をあたかも自分で生きたかのような感情を体験したことで、たくさんの知識を得た。学校で教えられたフランス史には感情がこめられていず、私にはよそごとであり続けたのだが。

この体験から私は、どのように人は物事を学びとり、どのようにして状況に意識的になるのか、ひいては政治に目覚めるのか、ということを考えさせられた。私の場合は、自分の内側で感じることが必要で、それはアート（文学や映画）だけがもたらすことができる感情だ。本を開いたあとは、少し違う自分になったと感じていたい。私なのだけれど、今までとは違う私になって、世界を新しい目で眺めたいのだ。

八月の読書の唯一の例外は、フランス人の友人ミシェル・ビュテルの新しい本を読んだこと。彼はおそらく、私が最も尊敬する友人だ。一九九七年以来本を出していなかった彼の新刊は『L'enfant（子ども）』。短い本で、美しい文章がとても深く届く。彼の本が日本語に翻訳されますように。そして、ロシア人作家たちの本も。

34
ヴェネツィアの夢

ヴェネツィアには最初、八時間だけ滞在する予定でいた。そこでセバスチャンと落ち合い、トリエステ（イタリア）に行き、船でクロアチアに渡るつもりでいたのだ。出発する数日前になって、私はヴェネツィアにいる時間があまりに短いことが悲しくなってきた。電話でセバスチャンにもう少しヴェネツィアに滞在しない？　と提案したら、すでに一週間その街にいて、とても気に入ってしまった彼は嬉しそうだった。私は金曜日に着いて、結局ほかのどこへも行かず、九日間の休日をずっとヴェネツィアで過ごした（セバスチャンは全部で六日間だ）。

セバスチャンが空港に迎えに来た。到着したときの私は『The Purple Journal』秋号の編集作業で疲れきっていた。ほとんど倒れそうなほど弱っている自分を感じていた。着陸の二〇分後、私は空港から市内に向かう船の上にいた。夢のようだった。光、空気、水。その船で私たちはフォダメンタ・ヌォーヴェまで行き、そこからセバスチャンが両親と宿泊していたアパートへ向かった。そして、小さなトラットリアへ食事をしにいった。すでにパリは遠くに感じられ、私は幸せだった。

パリの住人にとって、ほかの街の美しさに圧倒されるという経験は得がたいものだ。ヴェネツィアはそんな体験を与えてくれる、数少ない街の一つ。特有の地形と立地が近代化（街の破壊）を拒み、数百年ものあいだ変わらずにいた。私たちの住む世界では、ほとんどの人は実用性と進化とスピードを求める。ヴェネツィアはそうした尺度に適応できなかった。それがヴェネツィアを救っているのだ。

私の到着の翌日、セバスチャンの両親が出発したので、私たちはとても小さな通り（どの道も小さいのだが、とりわけ小さな）に面したアパートに引っ越した。カンナレージョ付近だ。ホテルに滞在しなくてほんとうに良かった、と思った。短い期間だったけれど、街に住んでいる気分になれたから。部屋には料理ができる小さなキッチンがついていた。外で買った食べ物を部屋で食べられるのが良かった。旅行してホテルに泊まっていると、それができないことによくフラストレーションを感じていたから。

知らない人のために説明すると、ヴェネツィアには車が走っていない。島の上に築かれた街で、街路の代わりに運河が縦横に走っているからだ。ここでは歩くか、船に乗るしかない。それがほかの街との大きな違いだ。騒音や空気汚染の問題だけではない。思索という点においても違いが出てくるのだ。街が目の前を、歩く速度や船のスピードで通り過ぎる。決してバスや車の速度ではなく、ずっとゆっくりと。それがあなたの時間の認知を変えるのだ。スローな数日間を過ごしたあと、ヴェネツィア映画祭が行なわれているリド島に出かけた。そこでは車やバスが走っている。バスに乗った私は最初、運転手がすごく飛ばしていると思って怖くなったけれど、しばらくして、これは普通のバスの速度で、私の体内リズムが変わってしまったのだということに気がついた。私が変わっていたのだ。船に乗ること、それも一日のうちに時には何回も、という体験はすばらしい喜びだった。

私のお気に入りの教会、サンタ・マリア・デイ・ミラーコリはカンナレージョ地区にある。白い大理石でできた小さな教会で、装飾はとても少ない。絵や聖像は天井にまとめられていて、壁面にはイメージが何もない。うしろには小さな母マリアの肖像画がある。空っぽな感じと大理石の白い色から、「禅の教会」と呼んでもいいのかもしれない。私がそこにいたら、女の子を連れた若い母親が入ってきた。二人とも、聖母マリアの前で手を組んで祈りはじめる。母親は泣きだし、娘は泣いている母と聖母マリアを交互に眺めた。そして、二人とも祈り続ける。一〇分くらいして母親は泣き止み、親子は出ていった。

ヴェネツィアでおいしい食事にめぐり合うのは、簡単ではない。ガイドもいなかったので、直感といくつかのサインをあてにするしかなかった。私からのアド

バイスはこんなこと。暖かい季節なら、テラス席に観光客がいっぱいいて、なかに誰もいないレストランには行かない。地元の人たちは必ず、店内で食べるから。どこに行っても地元の人が行かない店は悪い兆候だ。ドアの前にウェイターが立っていて、あなたをつかまえようとしたら、そこもやめたほうがいい。観光客レストランだから。あとは家囲気や店の美意識の問題だ。私たちは一度、このルールを忘れてまずい昼食を食べるはめになったけれど、それ以外は成功した。コックもウェイトレスも若くて、おいしい食事を安い値段で提供しようとしている小さなトラットリアを発見して、そこに私たちは四回も行った。行くたびに、驚かれた。最初の皿はいつもパスタで、そのあとに肉か魚、最後にサラダか野菜料理。これは伝統的なイタリア料理の順番なのだが、イタリア以外のイタリアンレストランだと、この順番で食べることはめったにない。

ヴェネツィアにいるあいだ、自分がそこに住んでいるようにイメージし続けてみた。パリに戻った私はヴェネツィアを夢見るようになり、汚れていて、混雑し汚染されているパリが嫌になってきた。夢はたとえば年に二回とか、定期的にヴェネツィアに行くこと。そして私のセカンドシティにするのだ。

35 ミラノ日記

ミラノは評判が悪い。ビジネスとファッション産業のためだけの街で、魅力はないとよく言われる。出かける前にイタリア人の友人で哲学者のフェデリコは、「君がミラノを気に入ったら、僕は君を殺すよ」と言った。彼が言おうとしたのは、私がこの街を気に入ったらがっかりする、自分は嫌いな街だから、ということだ。

だから、到着したときにはすでに、ミラノを嫌いになる準備はできていた。でも同時に、イタリアにいることを楽しんでもいた。私はそこで行なう展覧会で、レティシア・ベナやカミーユ・ヴィヴィエと一緒に写真を展示することになっていた。私たちは展覧会に、Cosmic Wonderとアーティストのマリナ・ファウストも招待した。展覧会の場所は、フランス文化会館。私たちの試みは写真を使って物語をつくることだった。カミーユはいろんな女性のポートレートを撮り、レティシアと私はいろんな場所、風景、建物、室内を撮った。それらの写真を、小説をイメージさせるように配置した。単純な物語ではなく、断片的なストーリーだ。Cosmic Wonderのドレスも二着展示した。写真に写っている女性の持ち物であるかのように、ミステリアスなオブジェとして。マリナ・ファウストは文化会館のなかの図書室でインスタレーションを行なった。毛糸でできた巨大なボールが、ぶどうのように本棚から顔を覗かせている。静かなＳＦ映画のようだった。

これを見て何を想像するかは、観客にゆだねようと思った。この展覧会は、コンテンポラリーアートや写真よりむしろ、文学に近い気がした。

ミラノに着いて最初の数時間は居心地が悪く、この街は冷たくて面白みがない、と感じていた。でもカフェやレストランに入り、文化会館の近所を散歩していると、たくさんの美しい建物が目に入った。ジュゼッペ・ロヴァーニ通り（写真はみんなこの道で撮った）というストリートを見つけて魅了され、そこには二度も訪れた。

ミラノの食もすばらしかった。街角の小さいカフェでもレストランでも、どこへ行ってもおいしかった。パスタはあまり食べなかったが、ミラノ風カツレツをたくさん食べた。これはミラノ名物で、とても薄く切られた仔牛が、野菜と一緒にサーブされる。火を通したツナ、トマトとガーリックだけのすばらしいピザ、あらゆる種類の豆と豚肉を込んだ田舎風料理。ナス、ほうれん草、ズッキーニといった、とてもおいしい野

菜たち。

チョコレート／コーヒー／ピスタチオの三つのボールを並べたアイスクリームは、最もおいしいアイスクリームではないかと思った。カフェやティールームにも足を運んだ（ほとんどはレティシアと一緒に）。ミラノでは、こういう場所がまだ一九〇〇年代の雰囲気を残していて、豪華で美しい。私はイタリアというより、ウィーンを連想した。オーストリア＝ハンガリー帝国がここからそれほど遠くなかったことを思うと、その連想は突飛なものでもなかった。ミラノにはオーストリアとイタリアの良いところが混ざっている。コーヒーのすばらしさは、言うまでもない。私はあまりコーヒー好きではなく、パリでは嫌悪するぐらいなのに、ここでは飲むのをやめられなかった。

ある日、ナイフやはさみ、栓抜きや小刀などを売っている店の前を通り過ぎた。栓抜きが必要だったので、店に入ってみた。とても雰囲気のいい男性と女性がいて、女性はフランス語を少し話し、男性は英語を少し話した。美しい栓抜きと缶オープナーを買った。そこで気がついたのだが、彼らは日本製の白いセラミック包丁を売っていた。私がこの包丁のことを知っていたので、男性はとても驚いた。自分の家にも京都で買ったものが一つあると言うと、彼は「あなたに見せるものがある」と言った。木製の大きな四角い箱を持ち出して、「ヨーロッパ中でこれは五本しかないのだが」と話しはじめた。「これ」が

何なのか、その時点で私たちはわかっていなかった。箱を開けると、そこには宝物が入っていた。黒いセラミックの、とても大きなナイフ。二種類の木からできた取っ手がついている。ナイフを少し動かすと、黒いセラミックの刃が反射して、青く光る。私たちはとても驚いた。感動した、とさえ言っていい。そのとき目の前にあったものがナイフだということを思うとびっくりする話だ。こんなに美しいものは見たことがない、と思った。ずっと忘れることはないだろう。値段を聞いて、決して買うことのできないものだと知ったがゆえに、この記憶はより鮮明なものになった。私たちが住む世界では、とても珍しいことだ。西洋社会では大抵のものは、ほとんどの人が買って手に入れられるものだから。ミラノはこの驚くべき黒いセラミックの日本製ナイフとともに、私の記憶に残るだろう。

36

『The Purple Journal』の印刷

ベルギーの小さな街、ウェッテレン。ここで『The Purple Journal』は印刷されている。今週の月曜日、私はレティシアとこの街に出かけた。

毎号つくるたびに行くわけではない。前回訪れたのは『HÉLÈNE』の一号を刷ったときで、二年前のことだ。私は自分のプリンターを愛しているし、信頼している。これは自分にとってとても重要なことなのだ。まず自分の仕事を愛すること。愛をもって仕事にのぞむこと。次に、一緒に働く人を愛すること（これが私の哲学だ！）。

プリンターの名前はヤン・デ・メズテール。ベルギー人で、父親から印刷業を引き継いだ。五世代にわたる印刷屋の家系なのだ。印刷機が数台しかない小さな印刷所で、扱っているのはほとんど白黒印刷。アートブックもたくさん刷っているが、宗教関係の出版物も多い。会社の名前は「Cultura（キュルチューラ）」という。印刷がコンピュータ化される前、キュルチューラはアラビア語やヘブライ語といった外国語の活版印刷に特化していた。念のため断っておくと、コンピュータ革命以前は、鉛の活字を人の手で並べて印刷していたため、アラビア語やヘブライ語、中国語をヨーロッパで印刷できるというのは、実に特別なことだったのだ。すべてがコンピュータから印刷機に直行する今は、どんな印刷屋も、何でも刷れるのだが。

過去一〇年のあいだに、多くの印刷会社が倒産し、買収された。小さな印刷屋で今も経営を続けているところは数少ない。都市部ではなおさらだ。印刷会社のほとんどがみな郊外へ引っ越したが、キュルチューラはウェッテレンの中心に位置しており、そこで生き残った。

ブリュッセルで電車を乗り換え、駅に着く。パリから二時間半だ。ヤンが車で迎えに来てくれたが、彼の言ったとおり、歩くこともできたはずだ。歩いて五分の距離だったから。

私たちがヤンの事務所で座っていると、彼が校正紙を持ってきた。すぐお昼時になったので、三人で小さなレストランに出かけた。私は伝統的なベルギー料理を出す、地元の人に人気の店がいい、と言った。彼は「ウェッテレンの老婦人が好きなレストラン」に連れて行ってくれ、私たちはそこがとても気に入った。私が食べたのは海老団子のようなもの（ベルギーにしかない食べ物だ）と、トマトソースのミートボール。ベルギー料理は洗練されていない。ガストロノミーという観点からいうと、彼らが発明したものは特にないのだが、質素で、質の良い食べ物である。特産物はビール。これは間違いなく、世界一おいしい。デュベルのようにとてもストロングな味のものもあれば、パーム、ヒューガルデン、ジュピラーのようにまろやかなものもある。

昼食のあいだ、ヤンは休日のことと三人の子どものことを話した。一四歳の息子がいるが、彼は舞台に熱中し

ているという。彼がヤンの一人息子で、ほかの子どもは娘なのだ。もしかしたら、息子は印刷会社を継がないかもしれない、ということをヤンが心配している様子が伝わってきた。しかし彼は現代的な人なので、将来は息子の好きにさせたいと思っているようだ。私は女性の印刷工に出会ったことがない。いまだに男性的な職場なのだろうか。でも、不可能であるわけはないと思う。きっといつか、女性の印刷工が生まれるだろう。もしかしたら、スカンジナビアのように進んだ社会では、もう存在しているかもしれない。

昼食のあとは事務所に戻って校正を続けた。『The Purple Journal』は一六ページごとの束で印刷される。大きな紙に八ページ分が印刷されていて、裏にも八ページ分が印刷されているのだ。機械を動かしているのはとても若い少年で、一五歳くらいに見えたが、ヤンは二〇歳だと言った。そして、大概フランスより印刷の質が高い。そして、ベルギーはフランスより安い。理由はわからないが、より伝統を大事にする国だからなのだろうか。そしてフラマン人（ベルギーの人口の半分を

占める）は、ドイツ人のように仕事に忠実なことで知られている。

レティシアと街へ散歩に出かけた。私はなぜか、オランダにいるよりベルギーにいるほうが快適に感じるようだ。これら二つの国は隣接していて、同じ言葉（オランダ語）をしゃべるのだが、感じが違う。

一晩くらい泊まっていきたい気分だったが、前もって計画していなかったので、すぐに出発の時間が訪れた。ヤンは車で駅まで送ってくれた。五時一五分、陽が暮れかけていた。七時半にパリの北駅に着いた。

37

ブダペストからベオグラードへ

クリスマスと新年が嫌いだ。私の友人の多くは、家族と過ごすことを強いられるこの季節が嫌いで、ふさぎ込んでいる。うちの家族は伝統的ではないので、私は家族と何かをする必要も特にはない。昼間はどんどん短くなって、空は暗く、誰もが気の進まないプレゼントのための買い物をする。そこで私は、この季節はいつも外国にいるようにしている。今回セバスチャンと私はまず、デヴィッド・バーマン（シルバー・ジューズのリードシンガー）に会いにテネシーへ行こうとしたけれど、合衆国大統領選挙の結果とその後のアメリカの反フランス的な雰囲気に恐れをなして、行くのをやめた。そして、ヨーロッパだけれどもう一つのヨーロッパ、EUに加盟していない国に行こうと考えた。まず飛行機でブダペストに行き、そして電車でベオグラードへ行くのだ。ベオグラードは、もとユーゴスラビアの街。九〇年代の戦争以降分裂し、セルビア・モンテネグロ（その首都がベオグラード）、クロアチアとボスニアになった。出かける前にベオグラードへ行くと人々に言うと、まったく理解不可能なアイデアだと思われたようだ。セルビア人はヨーロッパでとても評判が悪い。戦争中の行ないによるものだ。

クリスマスイヴにブダペストに着いた。街は人通りが少なく、灰色だった。泊まった〈Kalvin House〉はドナウ川にほど近く、一九世紀のなかなか良い建物に入っている小さなペンションで、そこに三日間滞在した。寒い空っぽな街での、グレーな三日間。ブダペストの建築にはオーストリア＝ハンガリー帝国時代の美しい一九世紀の建物、五〇年代のスターリン建築（灰色の角張ったコンクリートのビル）、そして過去一〇年間に出現したポストモダン建築（主に銀行やホテル）が混在している。建築は街の歴史を物語る。ハンガリーは旧社会主義国家で、ソ連が崩壊してすぐにもう一つのシステム、資本主義に移行し、自由経済のＥＵの一員になった。自由を享受したことがない街、私たちはそのことをブダペストで感じた。不況、貧困、そして過酷な歴史。

ブダペストでの二日目、印象的な夢を見た。私はフランスのコート・ダジュールの街、ニースにいる。夢のなかの私は津波が来ることを知っていて、助かる方法を捜している。木にしっかりつかまっていれば、波が来ても大丈夫、と考えた。よくよく考えると、私の腕の力より波のほうが強いかもしれない。そこで、縄で体を木にくくりつけようと思った。生き延びるための解決策を見つけて、安心した。目が覚めたときは、気分が良かった。

一二月二七日、電車でベオグラードへ向かった。とても快適な、グレーの電車だ。朝、市場でたくさんおいしい食べ物を買っていた。電車にレストランがあるとは知らなかったのだ……。私たちはハンガリーを横断した。平坦な国だった。電車が驚くほどゆっくりだったので、乗っていて楽しい。どうして電車にはいつもより速くとスピードが要求されるのだろう。いくつか小さな街に停車した。ハンガリーとセルビアの国境に近づいた頃には、電車はほとんど空になった。すでに外は暗い。冬は四時くらいで夜なのだ。セルビアの最初の街では、人がたくさん乗ってきた。雰囲気はガラッと変わり、とてもいきいきとした。美しい女の子が何人もいて、老人も誰

も彼もがよくしゃべっていた。突然別世界に入ったようで、急に気分が良くなった。事実、私はＥＵを離れたのだった。

ベオグラードには八時に着いた。タクシーで予約していたホテル〈The Majestic〉に向かう。部屋に入ると、母がフランスから電話してきていて「ひどいことが起こったわね、たくさんの人が亡くなったのよ」と言った。テレビも見ていないし新聞も買っていなかったので、何のことかわからなかった。母はアジアで津波があったと説明した。私は自分の夢を思い出し、もしかすると津波が起こったのと同じ頃に夢を見ていたかもしれないことに気がついた。そこでとても驚いたし、この偶然への驚きはまだ続いている。

ここにきて、私はひどい風邪をひいてしまった。ひっきりなしに鼻が出て、脳の動きが緩慢になった。二人の友人からベオグラードでの連絡先をもらっていたので、電話をかけはじめた。会うことのできた人は皆すばらしく、知的で、ユーモアのセンスがあり、博識だった。アートのキュレーターが一人、文学を専攻する学生が二人、文学部の教授と、ラジオ局で働くアーティスト、テレビ局で働く映画作家だ。彼らと会話をして、セルビアでの生活の細部を知ることができた。セルビア人はフランス人に好意を抱いていることもわかった。理由は第

一次世界大戦までさかのぼる。私たちは、その好意には値しないと感じ、歴史上その頃はフランスにとって最良の時代ではなかったと弁明した。ラジオ局で働く女性は、セルビア人はビザなしではどこにも行けないと説明した。アーティストや作家が外国から招待を受けると、たくさんの書類をもって朝の五時から大使館の前に並ばなければならない。数時間並んだとしても、ビザが下りる保証はない。それも戦争中、ミロシェビッチ政権のもとでセルビアがひどい行ないをしたためだ。しかし戦争が終わった今も、その国に住むすべての人々を罰することがいいのかどうかはわからない。面白い事実も知った。日本は戦争後、ベオグラードにバスの車両を提供したので、そこで走っているバスはほとんど日本製だったのだ！

風邪はよくならず、私は食欲を失った。体重もどんどん減ったので心配になった。ホテルのレストランに行くだけで、あとは部屋でたくさん時間を過ごした。存分に読書を楽しんだ。あちこち訪問して観光客のよ

うに感じるのは好きではないので、病気になったこともあまり苦ではなかった。病気で寝込む生活は、より普段に近い気がするから。

写真はドナウ川とサヴァ川が合流する丘の上の、古い要塞で撮ったもの。風邪で体調は最悪だったけれど、ここでの散歩はとても楽しかった。旅行中はほとんど灰色の空模様だったが、珍しく太陽が顔をのぞかせた瞬間だ。

38

最後のひとつ

二〇〇一年春、『流行通信』からはじめて執筆の依頼があったとき、私は少し躊躇した。それまでの私は文章を書く人ではなかったから。自分が撮った写真を出せるのは嬉しかったけれど、文章を書くのは挑戦だった。『Purple』のなかで少しだけ文章を書いたことはあるけれど、私がしていた仕事のほとんどは編集だった。でも四年近く経った今、すべてが変わってしまった。書くことは私にとって啓示であり、自分の人生のなかでどんどん重要なことになっていった。自分の母国語ではない英語で書きはじめたということに、最初のうちは助けられた。恥ずかしさを感じることが少なかったから。そんなふうにして私は書きはじめた。四年が経つうちに、文学は自分にとって、ずっと重要になっていった。以前から本を読んではいたけれど、映画に行ったり、展覧会を見に行ったりするような活動の一つだったのだ。でも今は、読書や執筆をするのが私である。それより重要なものはない。そのきっかけが『流行通信』ではじまったことに感謝をしたい。二〇〇三年に私は新しい出版物『HÉLÈNE』を出した。文章が最も重要な刊行物で、ここで私は自分の言語であるフランス語で書きはじめた。すぐにフランス語で書くということが自分にとって重要であると気がついた。感情をほんとうに表現できるのはこの言語しかない。文章が上達するにつれて、英語で書くことにフラストレーションを感じるようになった。

この言語では、私自身の感情を完全に表現することはできないのだ。作家がもう一つ別の言語を習得することは、とても珍しい。ウラジミール・ナボコフとヨシフ・ブロツキーはどちらもロシアの作家だが、彼らはロシアを離れてアメリカに住んだとき、英語を受け入れることができた。これはとても珍しいことであり、どちらも偉大な天才である。

この話をしたのは、これが『流行通信』での最後のコラムだから。ほとんどこの四年間、この雑誌の読者に向けて、私はずっと自分のプロジェクトや旅、考えていることを伝えてきた。だから『流行通信』とその読者に、私を作家にしてくれてどうもありがとう、と言いたかったのだ。

さて、私からのニュース。一週間前、父親の誕生日に私はマドリードへ行った。去年と同じように。気候はすばらしかった。冬の最中にこんな光を体験できるなんて、プレゼントをもらったような気分だ。みんな気候のよさに驚いていた。パリはほんとうに真冬で、

いつものように寒く灰色だったから。昼間はほとんどの時間、大きな公園のベンチに座って過ごした。マドリードの中央には美しい公園があるので、私はニューヨークのセントラル・パークを思い出した。太陽が出ていただけでなく、冬の美しく柔らかな光で、とても暖かかった。最終日は一九度だった。プラド美術館に行き、大好きな絵を見た。ベラスケスが描く、男の肖像画だ。

今朝、目がさめて窓の外を見ると、雪が降っていた。そればかりか、一面真っ白だった。窓辺に置いていた小さい植物たちは、雪に埋もれていた。雪は私を楽しい気持ちにさせる。小さな女の子だったころのように。これを書き上げたら、家の近くにあるヴォージュ広場に行って雪を見よう。仕事がたくさんあるから長居はできないけれど。今私は『The Purple Journal』の四号目、春号を準備している。仕事は全部、私の家でする。このやり方はとても気に入っている。周りには三匹の猫。一緒に仕事をするセバスチャンやレティシア、ほかの人たちもやってきて、ここで働くのだ。お茶を入れて、快適に暖かく過ごす。私のしていることを例えるなら、産業活動というよりはむしろ手仕事になるだろう。産業化された食べ物より、家庭料理を私は好む。それは、ほかのすべてのことにもあてはまるのだ。

あとがき

この夏、この本の準備のためにすべての写真とテキストに目を通して、私は時間を旅した。ときどき泣いたり、笑ったりした。自分の過去を振り返ることでこんなにも心動かされるとは、驚きだった。

細かなことを愛おしむ私のテキストには、完全に忘れ去っていたような、たわいもないことがたくさん書かれている。ときどき、だれか別の人の人生を読んでいるような気がした。そしてなんという人生だろう――たくさんの旅、プロジェクト、出会いの数々。私が感じるこの郷愁はどこからくるのだろうか、と考えた。単に年を重ねたからなのか、自分の若い頃の話を読んでいるからなのか。これらの瞬間や登場人物の一部（人々や猫）が消えてしまったから、彼らと疎遠になったり死別したりしたからなのだろうか……そして私は、かつてのボーイフレンドの写真を哀しく眺めていて理解した。最も哀しみ深いのは、愛が消え去ってしまったことそれ自体なのだと。

一九八九年から二〇〇〇年にかけて、私の人生は行動がすべてだった。オリヴィエ・ザームと『Purple』をつくり、たくさんの展覧会を手がけた。私を止めるものは何もなく、立ち止まって考えることもなかった。二〇〇〇年代初頭から、自分のしていることを問いただすようになっていった。

この日記を『流行通信』に書いていたのは、そうしたより内省的な時期だった。連載は四年近く続いた。最初の原稿を書いたのは、二〇〇一年九月一一日——決定的に重要なあの日の、数週間前だった。執筆にここまでの、主題とトーンの自由を与えられたということは、幸運だったとしか言いようがない。忘却から救い出されたこの四年間の記憶は、時が経つにつれて、感傷的な意味を持つようになった。

その頃からすると私の人生はすっかり変わった。私には今、クラリッサという娘がいる。二〇一〇年に生まれた（あなたがこの文章を読む頃、彼女は一〇歳になっている）。二〇〇八年にパリを離れ、今はフランス南西部にある田舎の村で暮らしている。そして、車を運転している。こうした変化はどれも、この日記を書いていた頃には想像できないことだった。けれども文学、映画、政治、自然、服、旅行、動物、そして人間への興味は変わっていない。美を追い求めることは、今も私の生命線なのだ。

エレン・フライス

二〇一九年一〇月、サン・タントナン・ノーブル・ヴァルにて

謝辞

長い付き合いになる友人の林央子に感謝を捧げます。アダチプレスの足立亨、彼の辛抱強さがなければこの本は完成しませんでした。編集者の平岩壮悟、デザイナーの須山悠里、そして連載時に私を支えてくれたレティシア・ベナ、クリストフ・ブランケル、セバスチャン・ジャマン、オリヴィエ・ザームに感謝を。私を信頼してくれた『流行通信』編集者の石田潤には深謝します。

エレン・フライス

Acknowledgments

I would like to thank my longtime friend Nakako Hayashi and the publisher Toru Adachi whose persistence and patience made this book possible, the editor Sogo Hiraiwa, the designer Yuri Suyama, as well as Laetitia Benat, Christophe Brunnquell, Sébastien Jamain and Olivier Zahm for their support all these years. A special thank you to Jun Ishida, editor of the magazine *Ryuko Tsushin*, for offering me her trust.

Elein Fleiss

著者略歴
Elein Fleiss（エレン・フライス）
1968年、フランス生まれ。1992年から2000年代初頭にかけて、インディペンデントな編集方針によるファッション・カルチャー誌『Purple』を刊行。その後も個人的な視点にもとづくジャーナリズム誌『HÉLÈNE』『The Purple Journal』を手掛ける。また、1994年の「L'Hiver de L'Amour」をはじめ世界各国の美術館で展覧会を企画。現在はフランス南西部の町サン・タントナン・ノーブル・ヴァルで娘と暮らしながら、写真家としても活躍している。編著に『Les Chroniques Purple』（2014、VACANT）。

訳者略歴
林央子（はやし・なかこ）
1966年生まれ。1988年から2001年まで資生堂『花椿』編集部に所属、その後フリーランスに。2002年、同時代を生きるアーティストとの対話から紡ぎ出す個人雑誌『here and there』を創刊。2011年に刊行した『拡張するファッション』（スペースシャワーネットワーク）では国内外のアーティストの仕事を紹介、2014年にはグループ展「拡張するファッション」へと発展し、水戸芸術館現代美術センターと丸亀市猪熊弦一郎現代美術館を巡回した。2020年、東京都写真美術館での展覧会「写真とファッション」を監修。

エレン・フライスと林央子。2008年、鎌倉にて。
Photo: Guillaume Besnier

本書は『流行通信』（INFASパブリケーションズ）連載「Elein's Diary」を書籍化したものです。初出＝同誌2001年9月号、11月号〜2002年11月号、2003年1月号、3月号〜10月号、2004年1月号〜7月号、9月号〜2005年2月号、4月号、5月号。本文に記載のあるものを除き、写真はすべて著者撮影。

エレンの日記

２０２０年2月29日　初版第1刷発行

著者　エレン・フライス
訳者　林 央子
装丁　須山悠里
編集　平岩壮悟
校正　聚珍社
印刷・製本　シナノパブリッシングプレス

発行者　足立 亨
発行所　株式会社アダチプレス
〒151-0064 東京都渋谷区上原2-43-7-102
電話　03-6416-8950
メール　info@adachipress.jp
ＵＲＬ　http://adachipress.jp

ＮＤＣ分類番号９５４
Ａ５判（210mm × 148mm）
総ページ２０８

ISBN 978-4-908251-12-2
Printed in Japan